CADERNO DE OBSERVAÇÃO DE UM FILHO

PEDRO MENEZES

Copyright © 2015 by Pedro Menezes
Todos os direitos reservados.

O texto deste livro foi editado conforme as normas do novo acordo ortográfico da língua portuguesa, em vigor no Brasil desde 1º de janeiro de 2009.

Editora: Lizandra Magon de Almeida
Ilustrações, projeto gráfico e diagramação: Pedro Menezes
Revisão: Hed Ferri

Impressão e acabamento:
Nywgraf Editora e Gráfica

Todos os direitos reservados pela Pólen Livros, 2015
Av. Brig. Luiz Antônio, 2050, cj 37
São Paulo - SP - CEP 01318-002
Tel.: (11) 36756077
www.polenlivros.com.br

Menezes, Pedro.
　Caderno de Observação de um Filho / Pedro Menezes texto e ilustração. – 1ª. ed. – São Paulo : Pólen, 2015
　128 p.

ISBN 978-85-98349-21-3

1. Literatura Brasileira 2. Cadernos de Nota II. Título.

14-01752　　　　　　　　　　　　　　　　CDD
869.4/808.883

DO JOÃO

DO CARA

João Menezes Wagner
(assim, com os sobrenomes
invertidos porque a gente –
eu e a mãe, Renata Wagner,
achamos que ficava mais legal)
nasceu em São Paulo,
no dia 23 de abril de 2014,
às 10h11, de parto normal.
E mudou a minha vida
nesse instante.

DA FÉ

Brasileiro com nome de santo, João é filho de pai ateu. Batizado no judaísmo, mas nascido sob a graça de Ogum – afinal nasceu no dia de São Jorge. Vestido com as roupas do santo guerreiro, vai acreditar no que bem quiser, se quiser, onde e quando quiser. Mas tenho fé que será um cara legal.

LULLABY

João com menos de um mês já esboça sorrisos ao ouvir canções suaves. Com ele entendi o conceito de canção de ninar. Aliás, o conceito de ninar. Acalanto: confortar, acarinhar com música. Estou aprendendo a ninar. E estou gostando.

DA FOME

Nascemos com uma fome ancestral.
E João não nega seus antepassados.
É bonito ver como ele mama faminto,
ávido, animal. Para crescer.
Para sobreviver. Para saciar a fome.
Ancestral.

DA DOR ALHEIA

A cólica do João me ajuda a perceber o tamanho
da minha insignificância. Por mais que eu tente ajudar,
sei que é uma dor dele. Só dele. Que certas coisas, pequenas
ou grandes, estão fora do alcance da minha influência,
da minha vontade. Com a cólica do João eu cresço,
exatamente por me perceber menor, menos importante.

DO SONO

Às vezes instável, às vezes pesado como uma pedra (qual pai
não passa pela aflição de ver se seu filho está respirando?),
o sono, estou descobrindo agora, é uma coisa que se aprende.
Cada dia é um passo no caminho do aprendizado em busca
do sono dos anjos. Anjos dormem? Sonham? Roncam?
Não sei, mas sei que o cara, sim, ronca alto, forte,
tal qual o pai e os avôs...

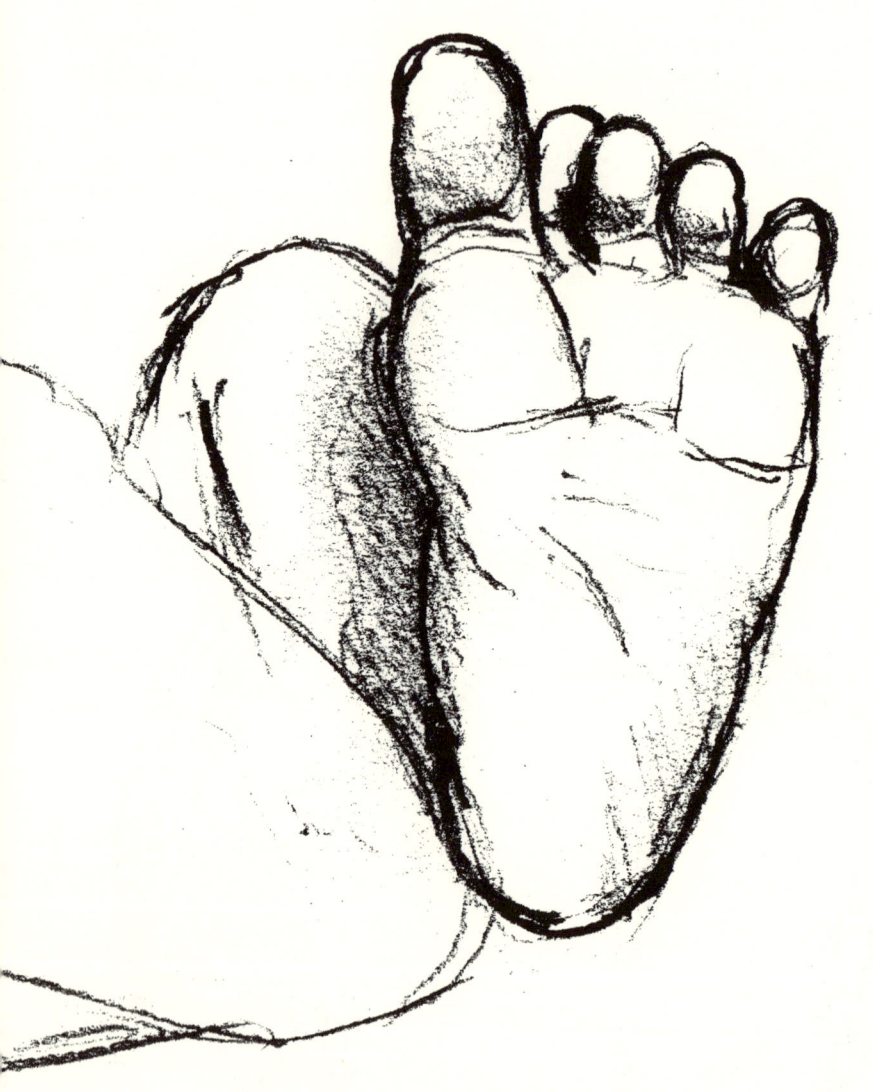

DO CRESCER

Acorda e hoje aquela roupinha linda não cabe mais.
Aquela azul e vermelha, com estampa de gato, presente
do tio querido, vai para doação. E o colo fica, dia a dia,
mais pesado. O cara engorda e espicha a olhos vistos.
Está encorpando. Crescendo. E com ele cresço eu.
Dia a dia.

DO CHORO

Às vezes fraco. Quase um muxoxo, um lamento,
uma reclamação, coisa pouca, pequenas insatisfações
ainda incompreendidas. Outras vezes, no entanto,
o choro sai potente, gritado, gutural, intenso, raivoso,
botando para fora todas as dores do mundo.
Pode ser cólica, mas na maior parte das vezes é fome.
João desde cedo vai tomando conhecimento de uma
das maiores dores que todos sentimos. Ainda que,
privilegiado que é (hoje sem consciência disso),
logo recebe um peito, uma mamadeira,
um carinho para aplacar seu choro, sua dor...
Sua fome. A nossa fome.

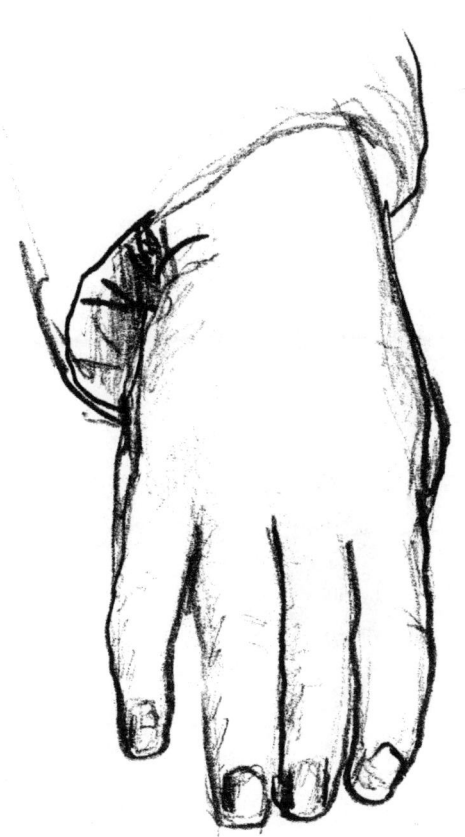

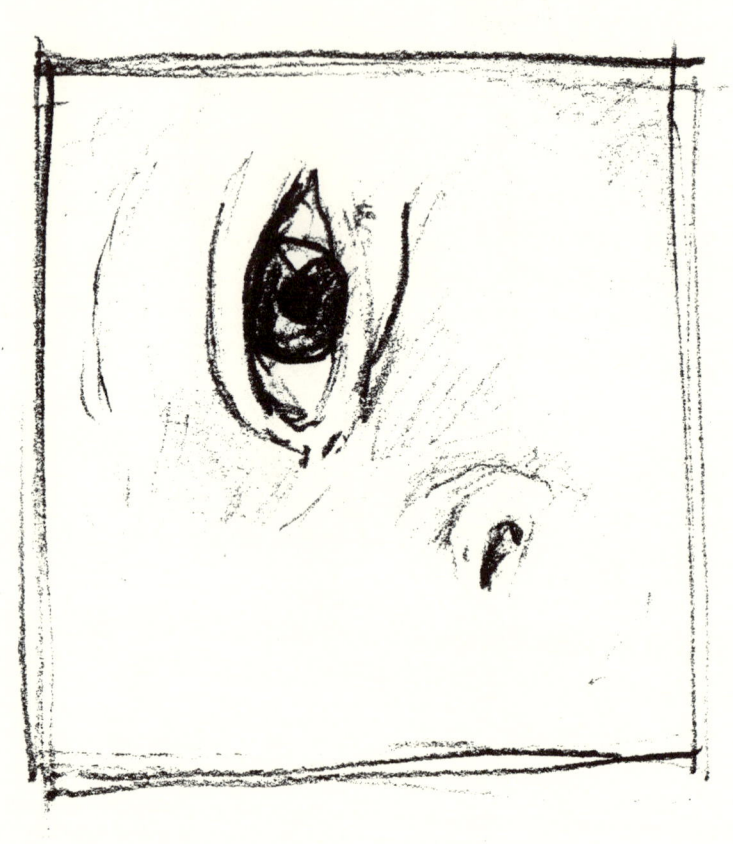

DO OLHAR

A cada dia os olhos enxergam mais. É bonito ver esse aprendizado do olhar. Sei que a visão dele só vai estar completa mais tarde, ver tudo com detalhes, todas as nuances, as noções de espaço e distância.
Mas diariamente percebo sua evolução. E agora, nesse exato momento, ele está olhando para mim.

O QUE PASSA PELA CABEÇA DO JOÃO

O que pensa o cara? Pensa o cara? Um cérebro em pleno desenvolvimento, sinapses a todo momento, neurônios fazendo novas ligações, um mundo novo de descobertas dia após dia. Sensações, sentidos, associações, aprendizado a toda hora, a cada minuto. Muito para uma cabecinha que nem fechou totalmente a moleira. Pensa que é fácil?

DO CANSAÇO

Às vezes cansa. Às vezes cansa muito. A noite em claro, sabendo que no dia seguinte tem trabalho. O sono vai ficando atrasado, picado, interrompido e você sonha dormir oito horas seguidas, como se isso fosse a coisa mais valiosa, preciosa do mundo. Mas não é, a coisa mais preciosa você agora sabe o que é. Se bem que o cara podia me deixar dormir mais um pouquinho...

DO GUGU DADA

Ter um bebê nos permite, nos liberta, nos autoriza a falar com voz infantil, inventar palavras, gungunar, usar expressões e entonações que em qualquer outra situação seriam e soariam completamente ridículas. Como quando falo (assim) com meus gatos. Está aí mais um coisa legal que o cara me trouxe: posso ser o ridículo que sempre fui, mas agora com autorização.

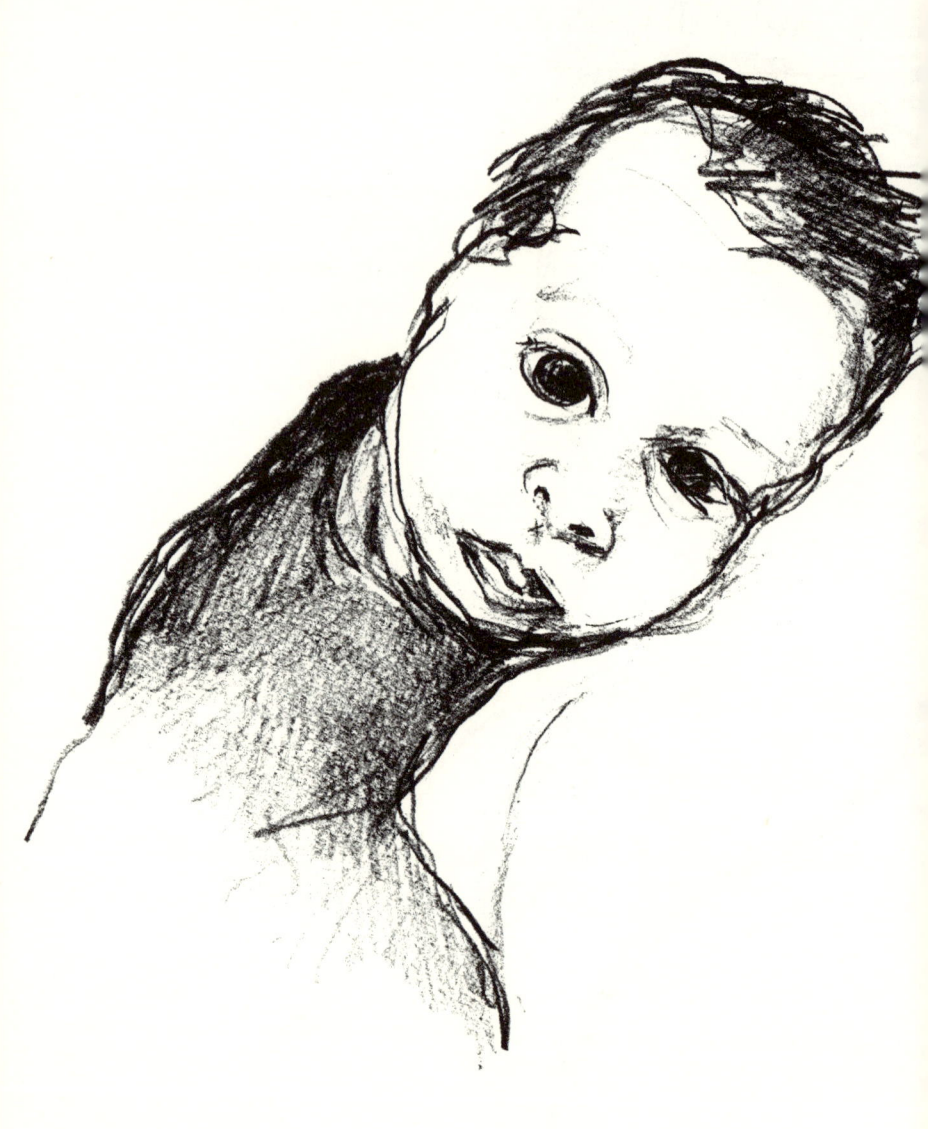

DO FUTURO

O cara não tem nem dois meses de vida e nós, pais malucos
que somos, já ficamos pensando no futuro dele. Será que
ele vai gostar de bichos? Praia ou campo? Será que ele vai
torcer pro tricolor? Gostar de Dostoiévski? Murakami?
Funk ostentação? Vai ser nerd? Atleta? Artista?
A gente para, respira, olha para ele dormindo e relaxa...
ele pode ser, querer e gostar do que quiser – só não
me venha querer andar de moto, nem ser um chato,
que eu boto ele para fora de casa...
para algumas coisas sou intransigente.

DA MUDANÇA

A casa não é mais a mesma. Os sons mudaram.
São novas coisas, novos objetos, novas rotinas,
novos passos. Sai o cinzeiro cheio, entra a mamadeira vazia.
Apareceram fraldas, panos, paninhos...
Outro dia achei uma chupeta na minha mesa de trabalho.
O ritmo é outro, graças ao novo maestro,
que chegou com sua música nova,
revolucionando nossas vidas.
Também estou mudando. Às vezes não é fácil.
Ainda mais para mim, que nunca soube dançar.

NINA

Ele gosta de ouvir Nina Simone.
Cada vez gosto mais do cara.

DO CHEIRINHO DE NENÊ

Ele existe. E não é igual a nenhuma dessas essências
que vemos no mercado, nos amaciantes de roupa
ou perfumes de ambiente. João tem sim um cheiro
próprio, exclusivo dessa fase de sua vida. Cheiro bom.
Cheira bem, gostoso, cheirinho de nenê. Até eu,
com meu olfato péssimo, sinto.
E gosto.

DO CHORO 2

Sempre fui emotivo. Choro com alguns filmes.
Com algumas músicas. Alguns livros.
Chorei ao ver a *Dança*, do Matisse, no museu Hermitage.
Chorei quando o João nasceu.
Mas, desde então, a coisa piorou.
Hoje me emociono por qualquer coisa.
Seja uma coisa grande, seja um coisa pequena,
uma coisa pouca. Aliás, mesmo um texto como esse,
sobre o cara, já me enche os olhos de lágrimas.
Alguém tem um lenço de papel aí?

DA VIDA

Ia escrever um texto para o João, para alertá-lo sobre a existência de pessoas boas e pessoas ruins no mundo. Tinha uma lista pronta, algumas pessoas públicas, alguns desafetos pessoais – uma tentativa de prevenir o cara. Mas refleti a tempo, e percebi que quem faz isso – estigmatizando, estabelecendo preconceitos – também não é uma pessoa legal (ia dizer do bem, mas pessoas do mal já tomaram conta dessa expressão). Só o que posso fazer é torcer para que ele, no devido tempo, saiba identificar quem faz bem e quem faz mal para você, para o outro, para o mundo. Por experiência própria, sei que isso só se aprende na prática.

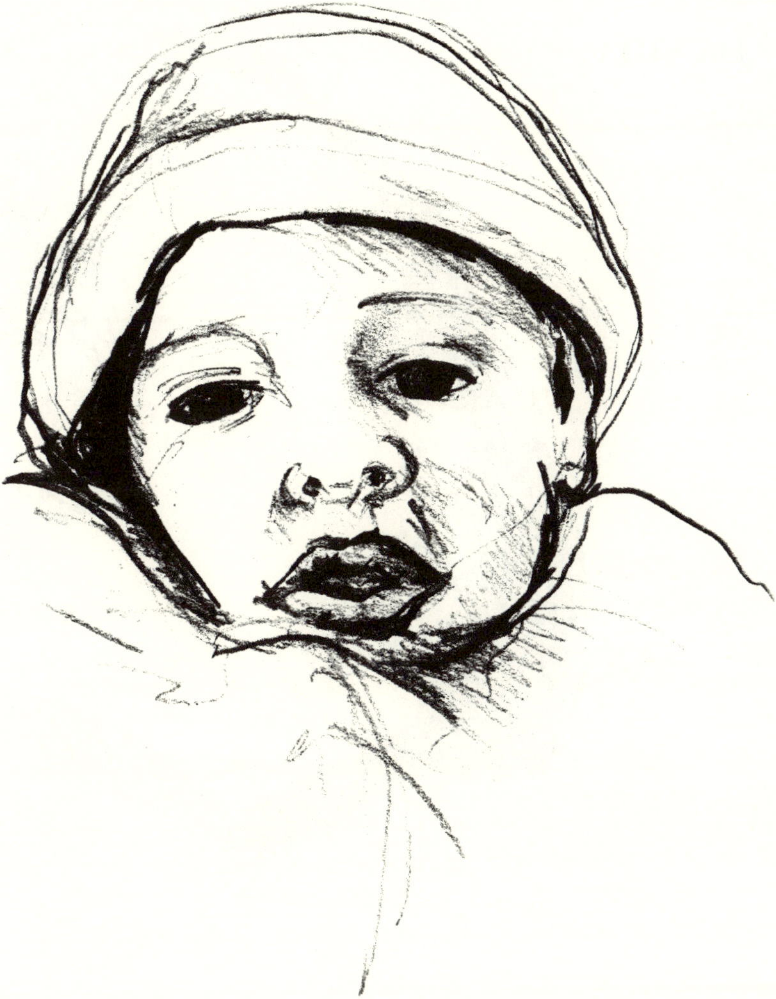

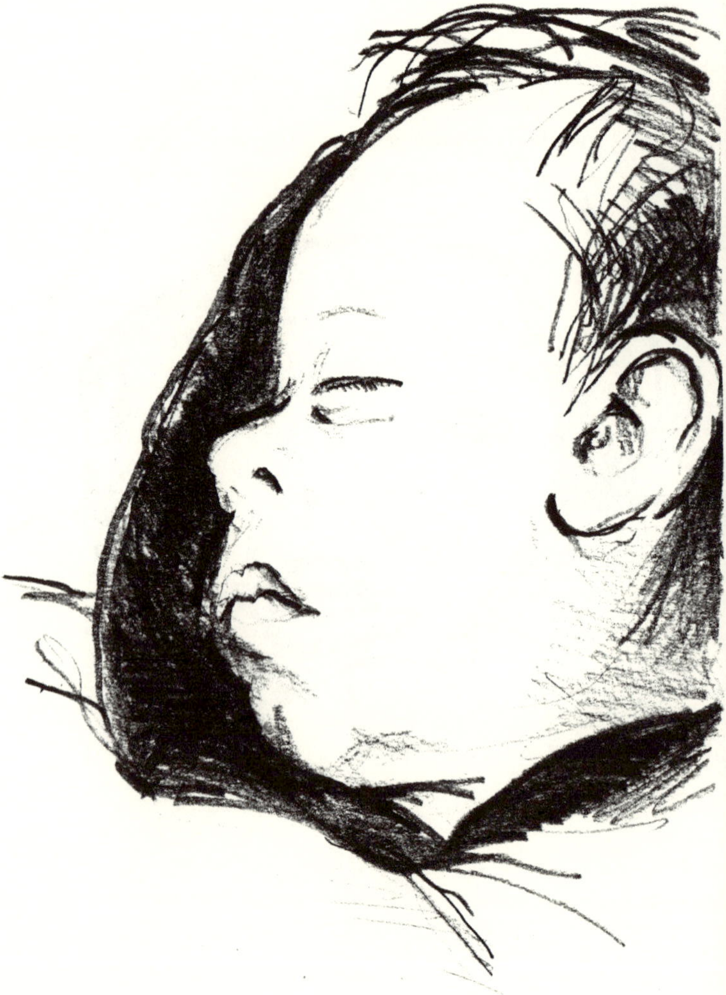

DA PASSAGEM DO TEMPO

5.184.000 segundos. 86.400 minutos. 1.440 horas. 60 dias.
Dois meses. Todo mundo me diz que passa tão rápido,
que logo vou sentir saudades desses dias.
E passa rápido mesmo. O cara, com dois meses,
já é outra pessoa. Nos olha nos olhos, já sorri,
já interage um pouco. Passa rápido mesmo.
Por isso tenho tentado viver cada instante.
Cada minuto. Cada segundo.

DO SORRISO

Ainda é cedo, segundo o pediatra. Ele ainda vai sorrir muito mais a partir do terceiro, quarto mês. Mas não é que o cara já é risonho?! E sedutor, o safado. Sabe que um sorriso ganha a mãe que acorda com sono às três e meia da manhã para dar de mamar. Ganha o pai quando sorri ouvindo Nina Simone. Hoje o cara sorriu duas vezes para a avó, que voltou boba para casa. Ele está aprendendo. Assim, vai longe.

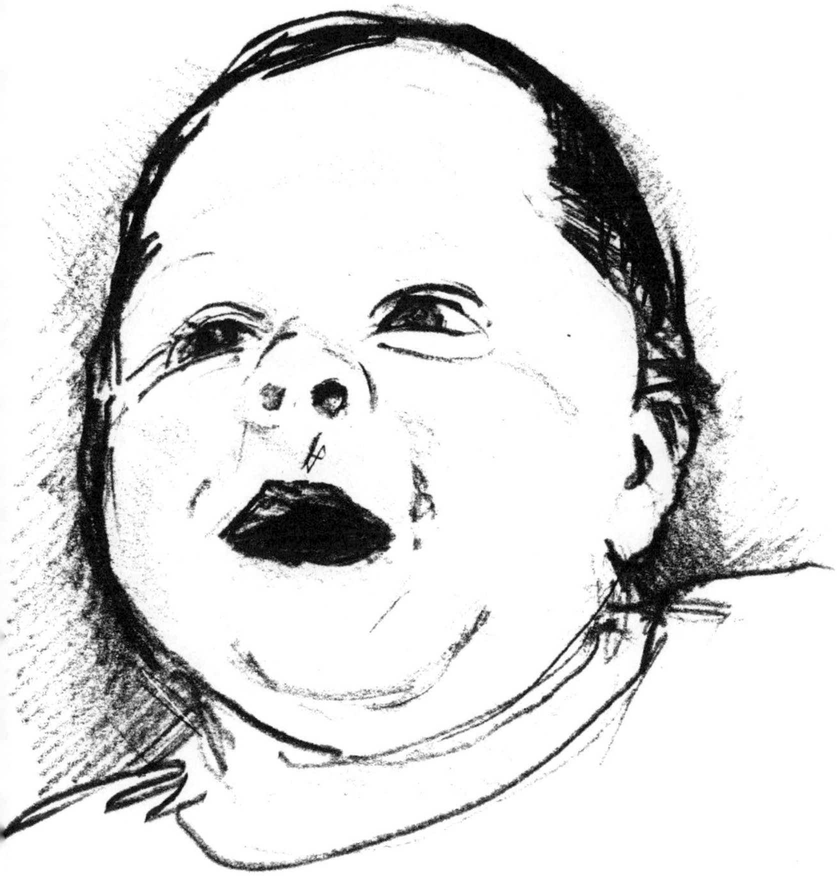

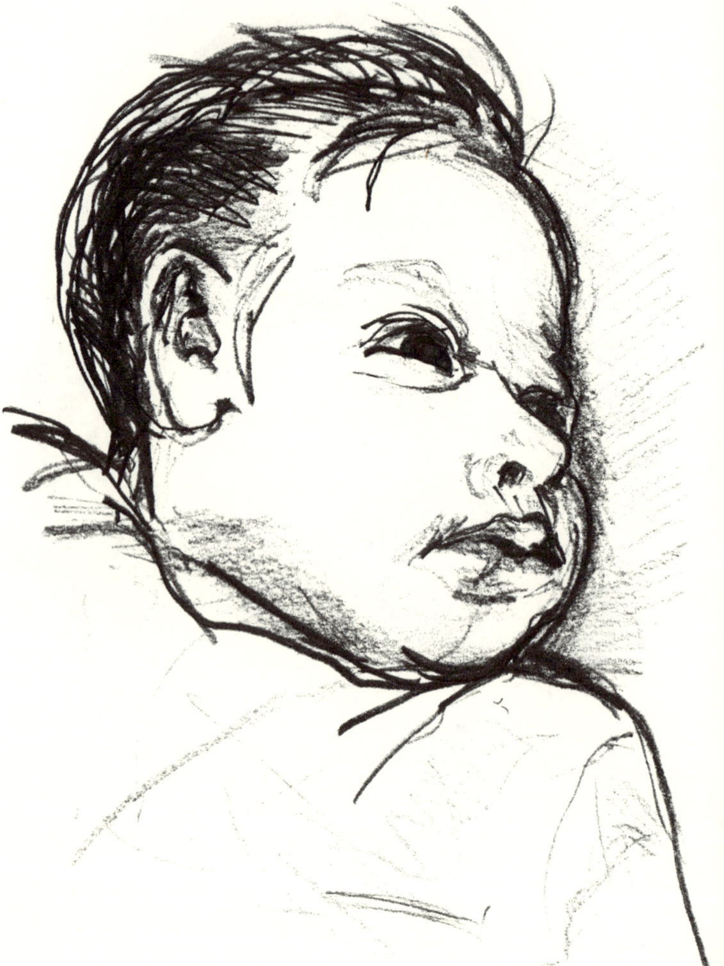

DA MANHA

Ele começa a querer negociar suas vontades. Começa a entender que seduz com um sorriso, chama atenção com um choro e, desde já, começa a fazer manha quando quer ou não quer algo. Especialmente quando não quer dormir, não quer ficar sozinho no berço. Faz bico, briga comigo, com a mãe... o carinha é teimoso, cabeça dura. Já quer medir forças com a gente. Por enquanto está mais ou menos tranquilo. Quero ver quando ele aprender a falar...

DO MUNDO DELE

Ainda é um mundo limitado. Limitado pela própria falta de movimentos do cara. Ele ainda nem engatinha, nem consegue se virar sozinho. Passando muito tempo deitado, o que mais vê são tetos, lustres, os móbiles do quarto. Mas já começa a sair para tomar sol na pracinha em frente de casa, ver o mundo – pelo menos o céu. O mundo dele começa a se expandir. Agora o céu é o limite para ele.

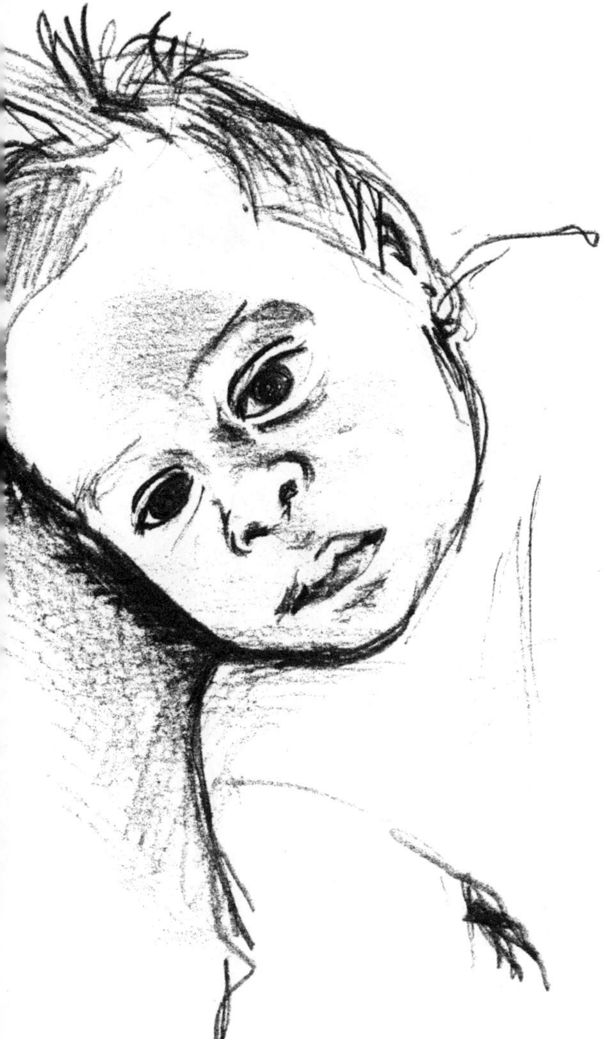

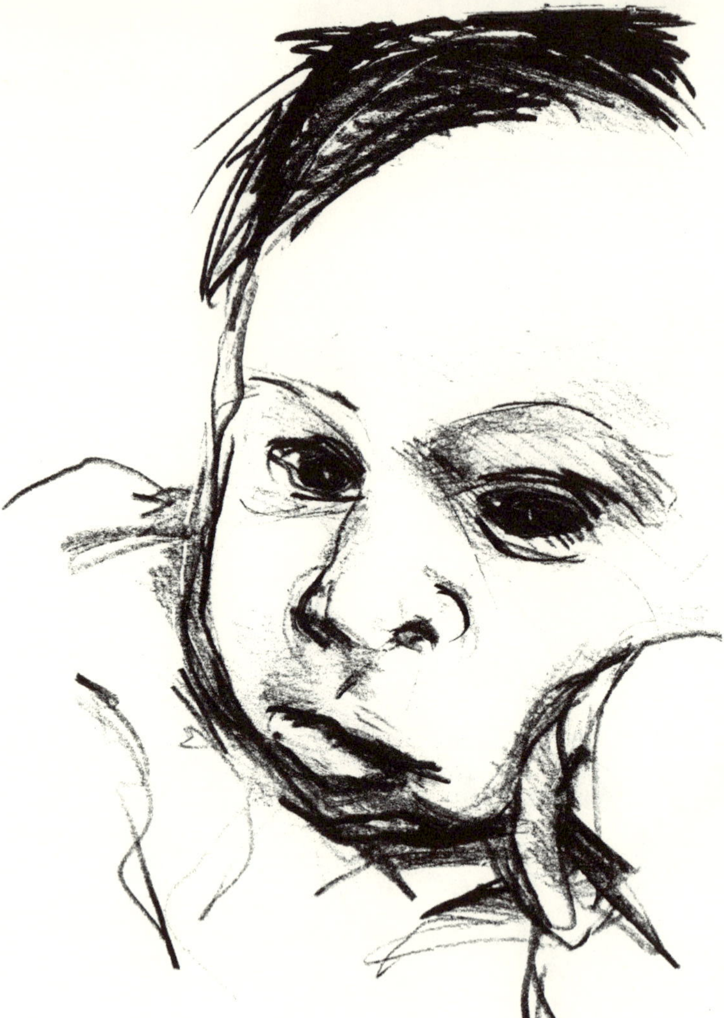

PLAYLIST DO JOÃO

Here Comes the Sun (Nina Simone), *O Homem da Gravata Florida* (Jorge Ben), *Bizarre Love Triangle* (Frente), *Killing Moon* (Nouvelle Vague), *Under Pressure* (Bowie e Freddy), *Lust for Life* (Iggy Pop), *Sympathy for the Devil* (Stones) e *Burning down the House* (Talking Heads)...
aí o cara mamou e dormiu...

DOS GATOS

João tem concorrência. A casa já tinha dois habitantes peludos antes dele chegar. Fidel e Frida, nosso casal de gatos, são na verdade os donos do pedaço, e abriram uma exceção para esse gatinho careca e gorducho que chegou para dividir nossa atenção. No começo estranharam as mudanças espaciais, o quarto, o berço, o carrinho. Estranharam também as mudanças de horários, acordar no meio da noite com aquele miado estranho, o choro de fome do João. Mas toleram o cara e no fundo ficaram felizes, pois, graças a ele, ficamos mais tempo em casa.

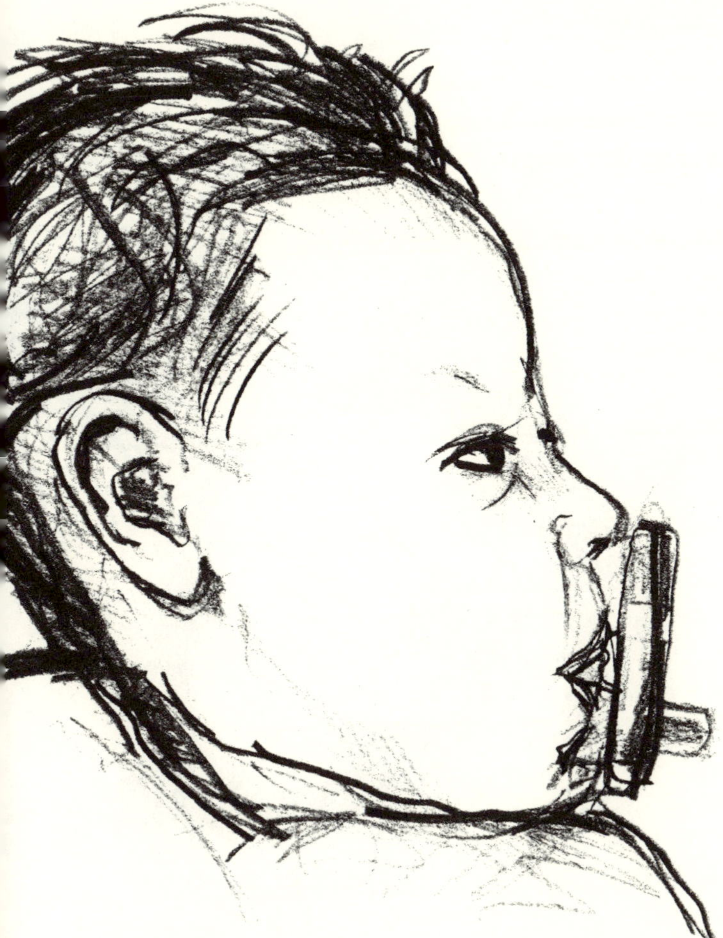

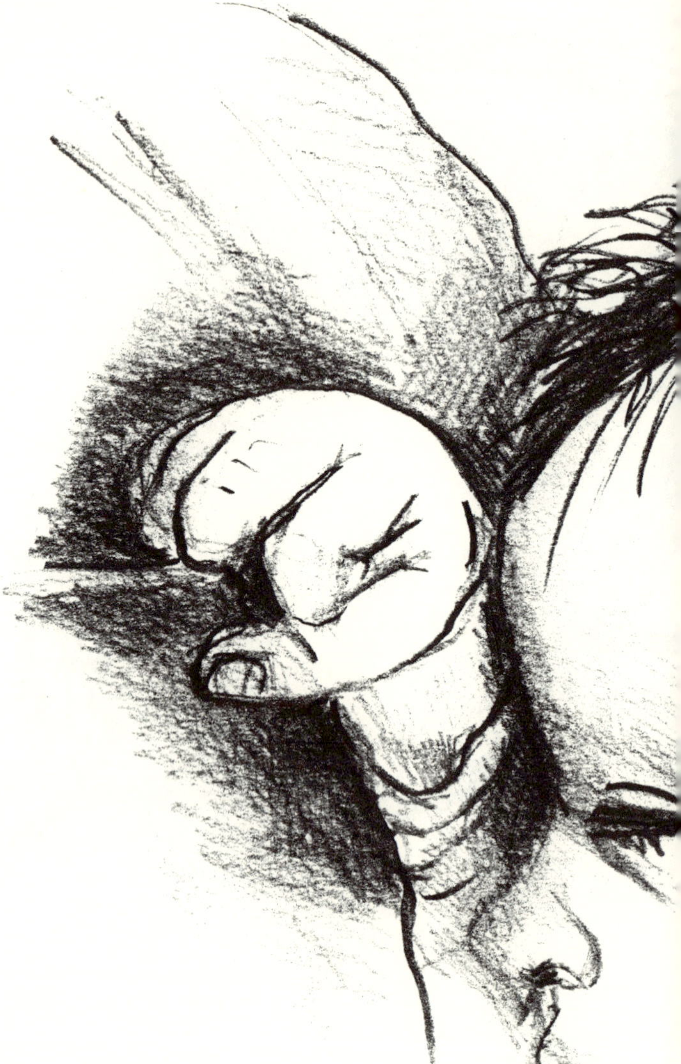

DAS MUDANÇAS

Nesse começo, estamos com o cara o tempo inteiro.
Da hora que ele acorda até a hora que ele dorme. Em cada
troca de fralda, em cada banho, percebemos ele crescendo,
mudando pouco a pouco. Ele está mais pesado, os braços
sentem. Mas é legal ver a reação de pessoas que não
o veem diariamente. Avós, tias, amigos que a cada visita
se surpreendem com as mudanças, tão radicais para eles:
é um outro menino! E é mesmo, João a cada dia é um
novo cara, um cara melhor, espero.

DOS GATOS 2

João é um gato. Não, não é um pai babão elogiando a pretensa beleza do filho. É uma constatação baseada na observação do Fidel, macho alfa da casa. Sim, porque para ele, Fidel, todos aqui somos gatos. Uns maiores, como eu, outros menores, como a Frida, nossa fêmea frajola. E por enquanto o João é um gato gorducho, chato, bobo, sem graça, que não brinca, fica só deitado é às vezes ainda mia (chora) alto... Coitado do Fidel, mal sabe ele o que o espera quando o cara começar a engatinhar...

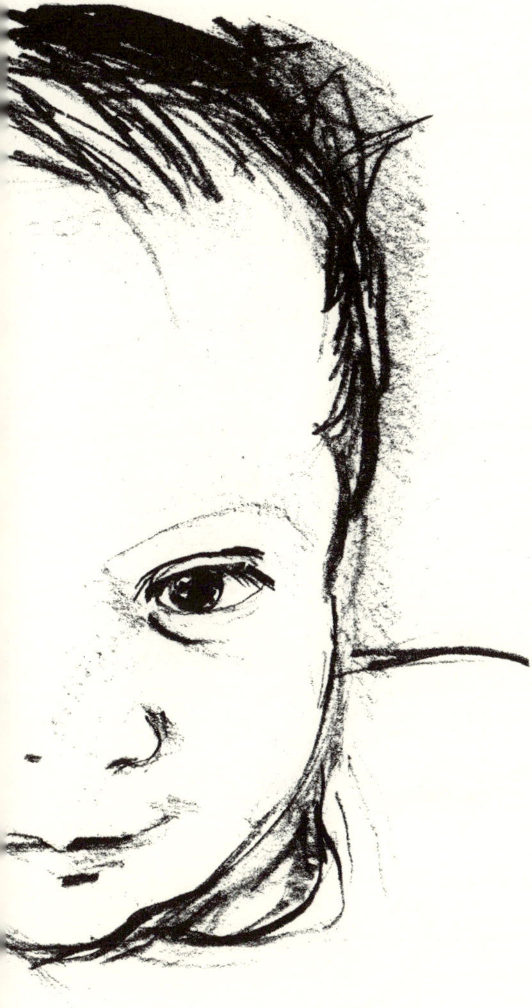

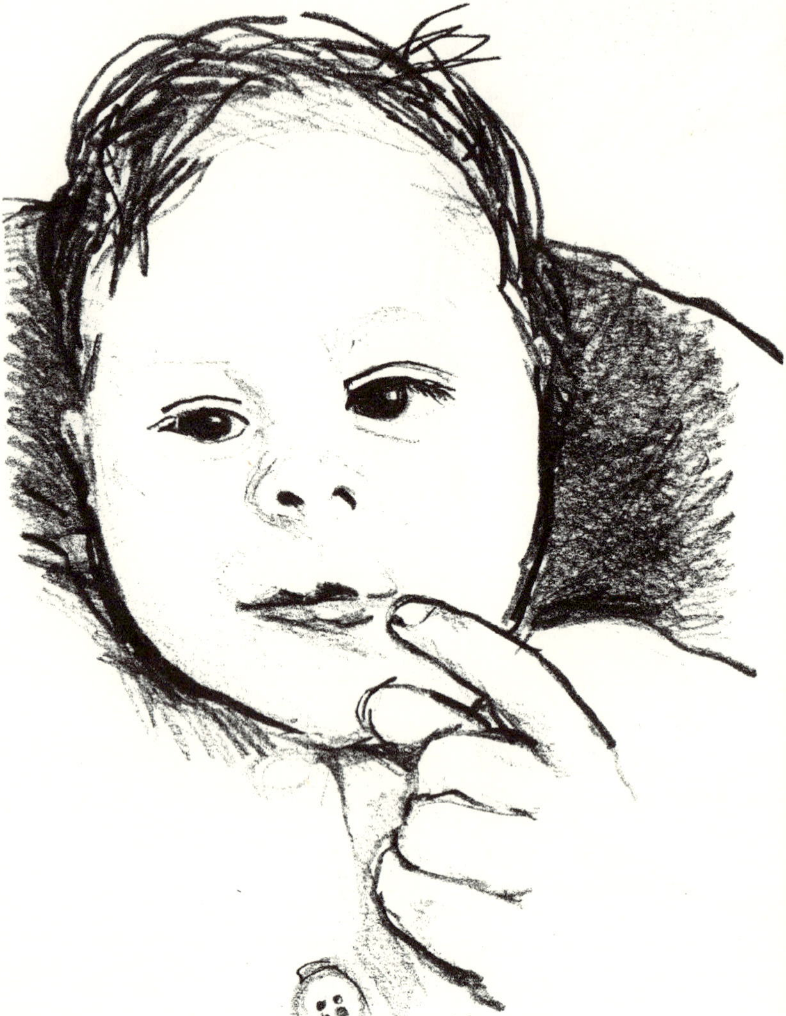

DO COLO DA AVÓ

Não tem colo melhor. Um colo que traz a experiência de já ter sido colo de mãe, mesclada à leveza do descompromisso: só tem que dar amor, não precisa se preocupar com a educação, com a formação, irresponsabilidade deliciosa que o João adora. O cara se solta, relaxa e ri no colo da avó, que não esqueceu como ninar, e pouco a pouco vai embarcando num sono gostoso, pesado. Ele até ronca.

DO BANHO

Damos banho nele num balde. Na etiqueta veio escrito
ofurô, mais chique, mais moderno, descolado, alternativo –
mais aceito. Para o horror da minha mãe. Mas é
um simples balde. Fundo. Que a gente enche de água quente
e joga o cara lá dentro. Sei lá se ele lembra do útero,
mas adora. E é um momento único, quase um ritual.
Porque não dá para dar banho de balde sozinho.
Precisa de dois: o pai, no caso eu, segurando, e a mãe
limpando o cara, passando sabão, tirando as sujeirinhas,
fazendo carinho. É a melhor hora do dia.
Mesmo quando ele molha o banheiro todo
e depois sou eu quem tem que secar...

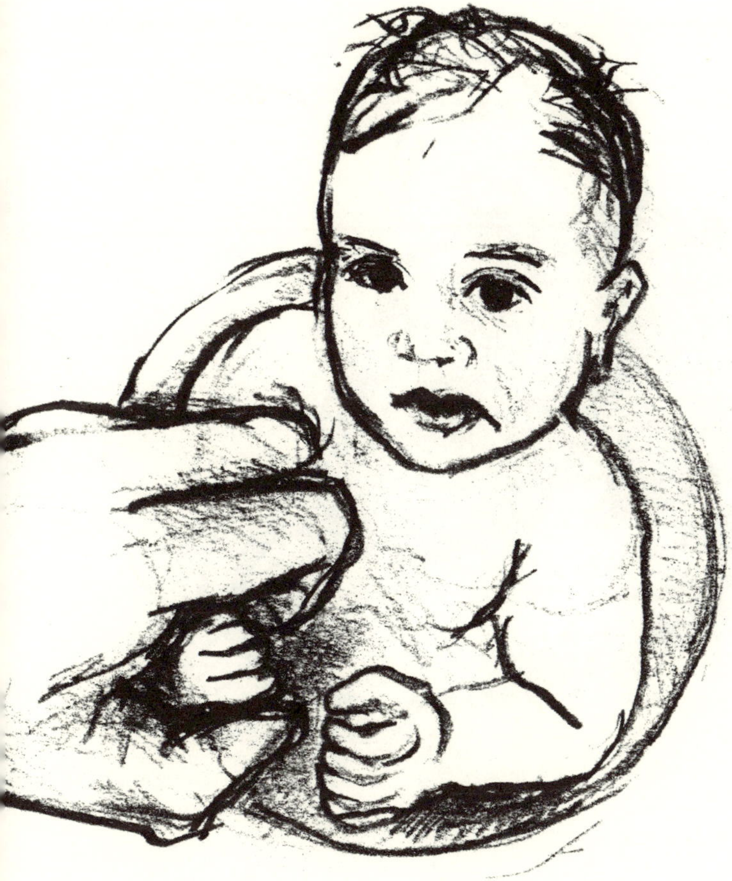

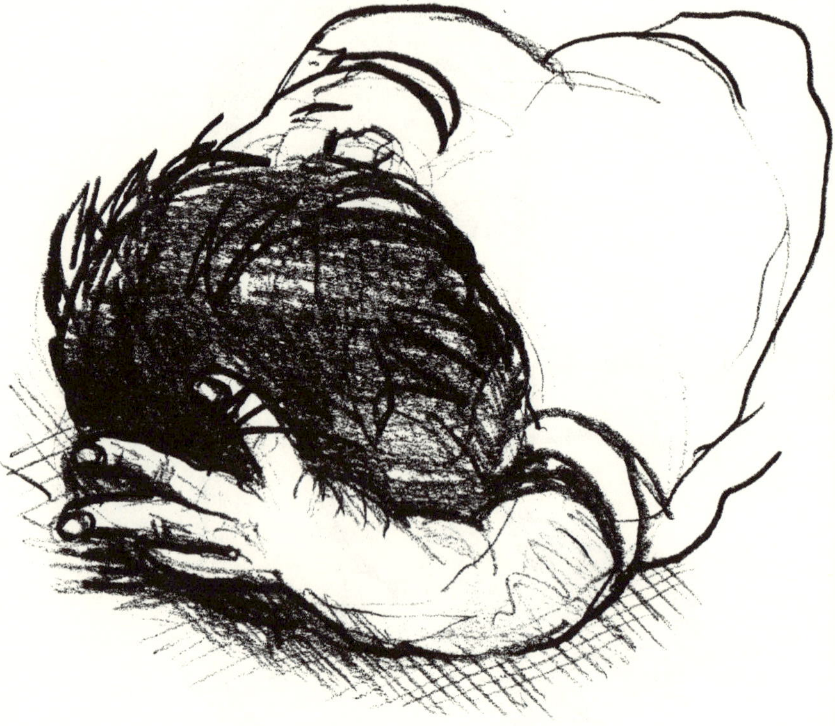

DO SILÊNCIO

A casa já não era muito barulhenta. Temos gatos, bichos silenciosos. E apesar de não querermos cercar o moleque de cuidados exagerados, inconscientemente andamos mais quietos, fazendo menos barulho, para não acordar o cara que acabou de pegar no sono, para não atrapalhar a mamada. E não é que às vezes é bom?! O silêncio... e como disse o Caetano, *melhor que o silêncio, só o João.*

PLAYLIST DO JOÃO 2

Acabou Chorare (Novos Baianos), *Feeling Good* (Nina Simone), *Harvest Moon* (Neil Young), *While my Guitar Gently Weeps* (George Harrison), *I Beg Your Pardon* (Tom Waits), aí a gente botou Jamiroquai para ele dançar... pergunta se o cara dormiu?!

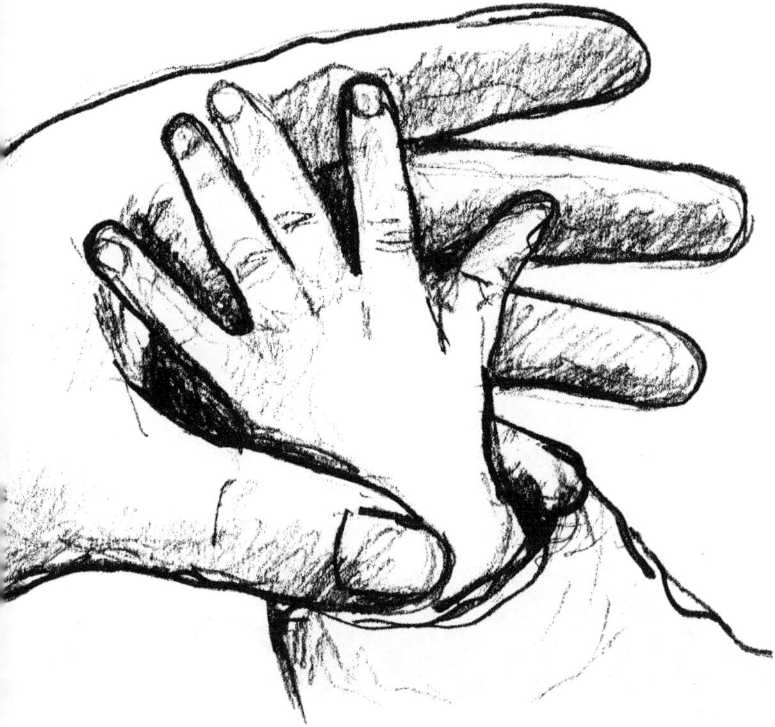

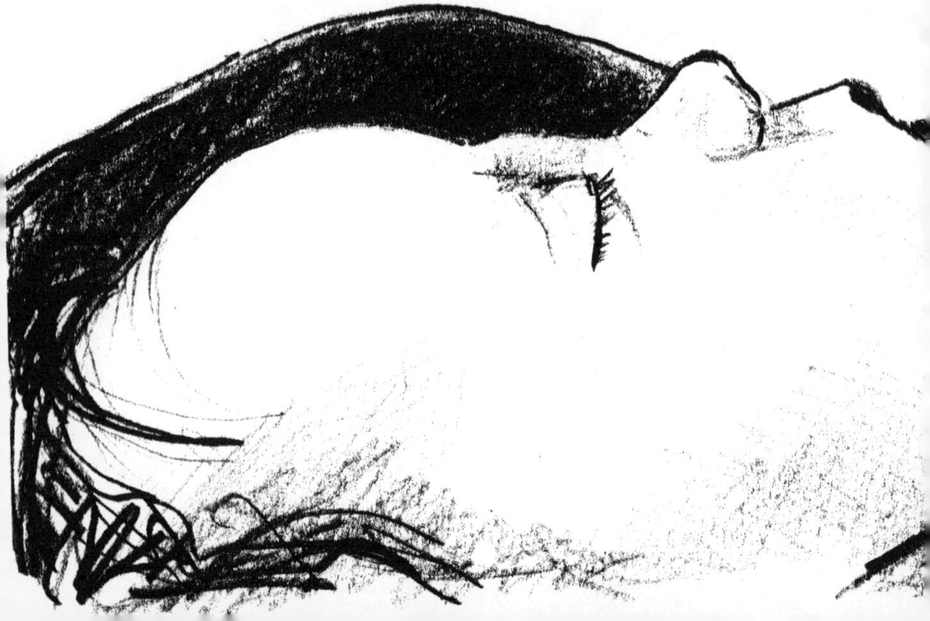

DO MAR

Primeira viagem, para o Rio de Janeiro, cidade
maravilhosa, cidade da família da mãe.
Visitar os parentes, ser paparicado, colos diferentes,
carinhosos, saudosos, carentes. Mas o principal era o mar.
O batismo do João na água salgada.
Inverno, mas demos sorte, um fim de semana quente,
ensolarado. E a praia de braços abertos esperando
o cara cedinho, que é para não queimar no sol.
Medo dele se assustar, tomar pavor da areia, da água,
mas fui lá com ele apertado no colo.
Foi o tempo de tomar coragem e abaixar para molhar
os pezinhos na água salgada. Estava fria.
Mas não é que ele gostou e pediu mais?!
Repetimos no dia seguinte.

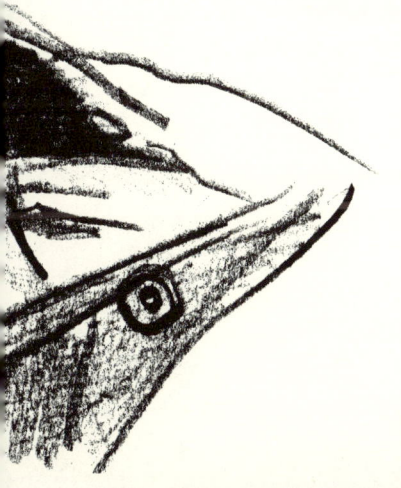

DO SIGNO DE TOURO

Não acredito em horóscopo, mas que o João é um perfeito taurino, lá isso ele é. Cabeça dura, teimoso. Igual à mãe, também do mesmo signo. O cara é muito boa gente mas, às vezes, especialmente na hora de arrotar antes de dormir, vira bicho, aliás, vira um touro. E disputa com a mãe. Ambos não querendo dar o braço a torcer. Ele gritando, ela impávida. Ele gritando, ela impávida. Ele gritando, ela impávida. Ele gritando... ops, ele dormiu.
Ele é taurino, mas ela é uma mãe taurina.

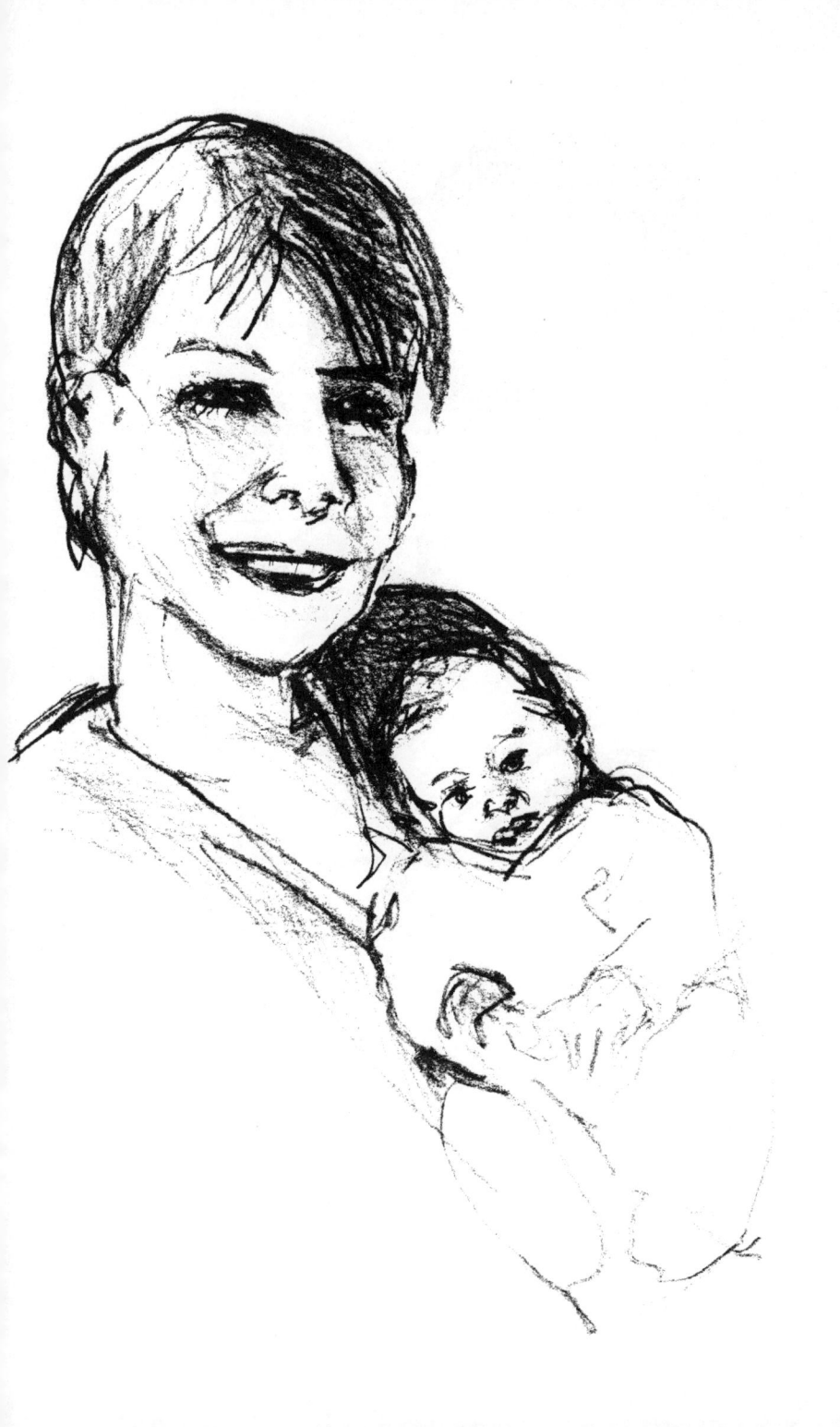

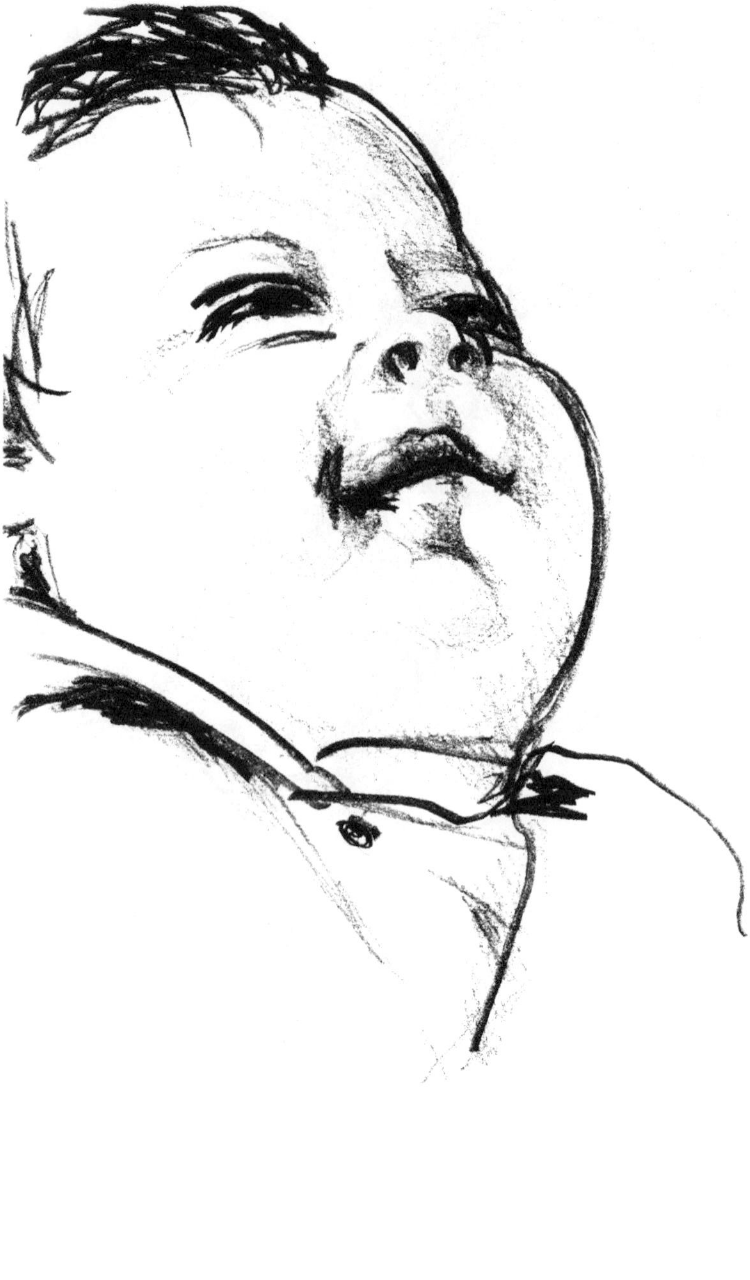

DO DIA DOS PAIS

Este ano ganhei meu primeiro Dia dos Pais de presente.
Um presente que já pesa quase sete quilos, ri das minhas
palhaçadas, dança com as músicas que eu coloco e adora ficar
passando a mão na minha barba. Tudo bem que ele às vezes
puxa meus pelos com uma força inacreditável para alguém
que tem apenas três meses e meio. Obrigado, João!
Agora, além de filho, sou pai. E graças a você, se nas questões
de paternidade eu ainda estou aprendendo com meus erros,
minha inexperiência, sei que, dia após dia, estou
me tornando uma pessoa melhor. Em tempo: adorei
o presente que a mamãe comprou para você me dar...

PLAYLIST DO JOÃO 3

Touch me (The Doors), *Jimmy Jazz* (The Clash), Umbabarauma (Jorge Ben), *John I'm Only Dancing* (David Bowie), *Layla* (Eric Clapton), *I've Got You Under My Skin* (Frank Sinatra), *Paula e Bebeto* (Milton Nascimento), *Blue Train* (John Coltrane), e o cara dormiu gostoso depois.

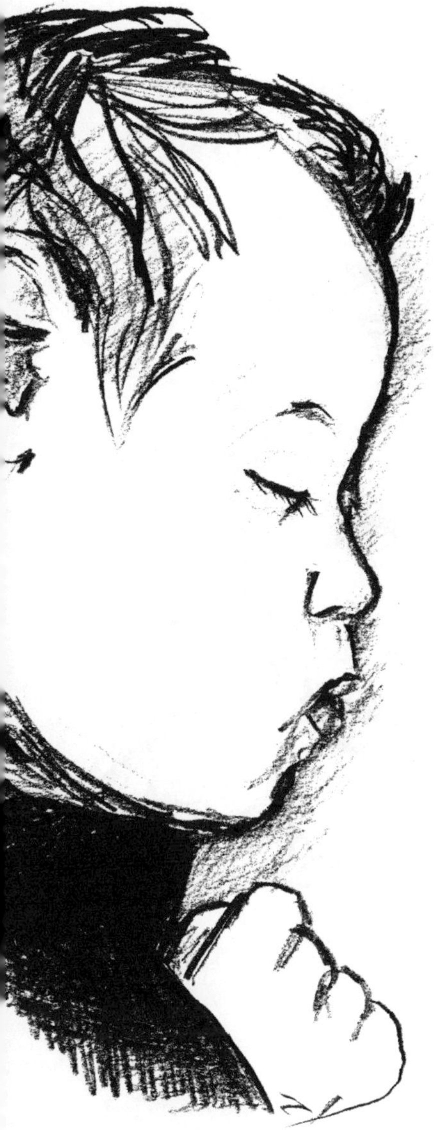

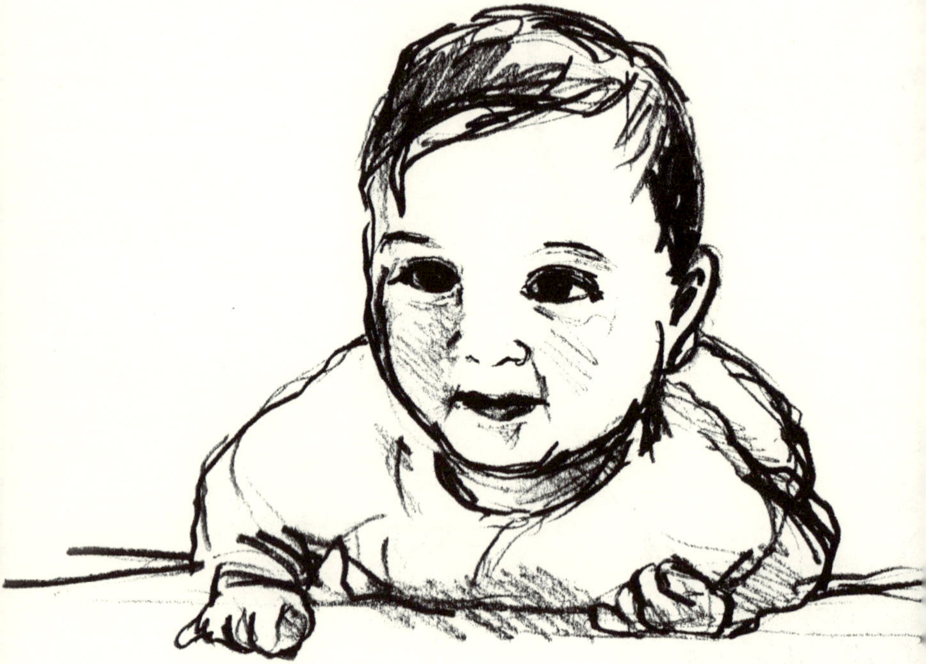

DA EVOLUÇÃO

O cara começa a querer levantar. E engatinhar. Tal qual
os primeiros anfíbios que saíram da água há bilhões de anos,
João repete o passo difícil, ainda titubeando. Fracassa.
Ainda é muito cedo, mas ele chega lá. O pescoço já está
forte, duro. Os braços e pernas começam a se coordenar.
É o movimento natural. E é bonito de ver.

DA MANHÃ

Ele acorda sorrindo. Tudo bem, antes grita para nos acordar...
mas basta que a gente entre no quarto, chegue perto do
berço e o cara abre um sorrisão que ilumina o nosso dia.
É um sedutor. Já entendeu que assim ele nos ganha,
a gente não resiste... ninguém resiste. Pode soar piegas,
mas o sorriso do João é o nosso sol matinal.

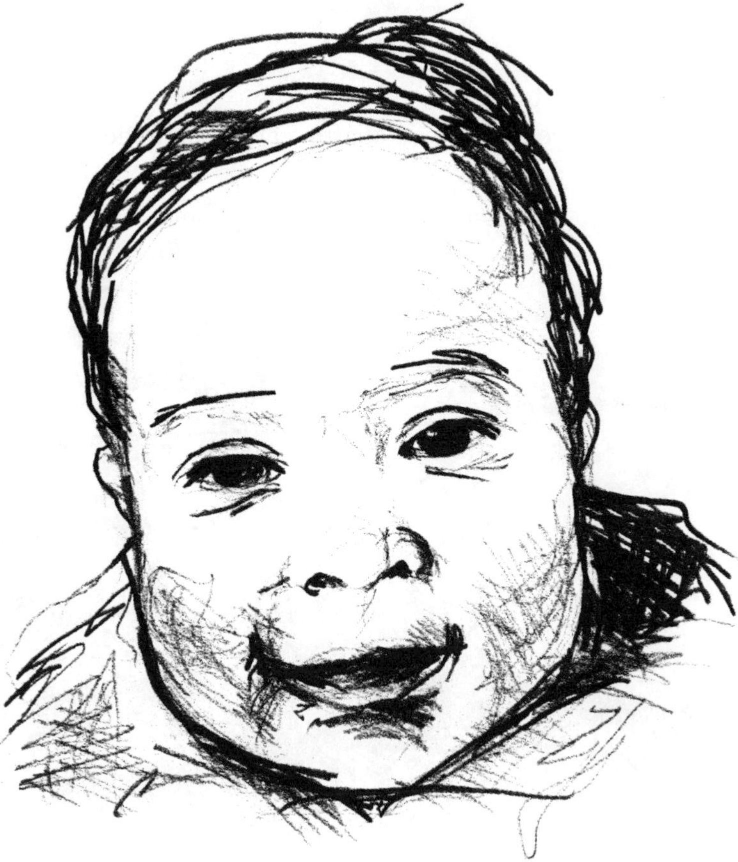

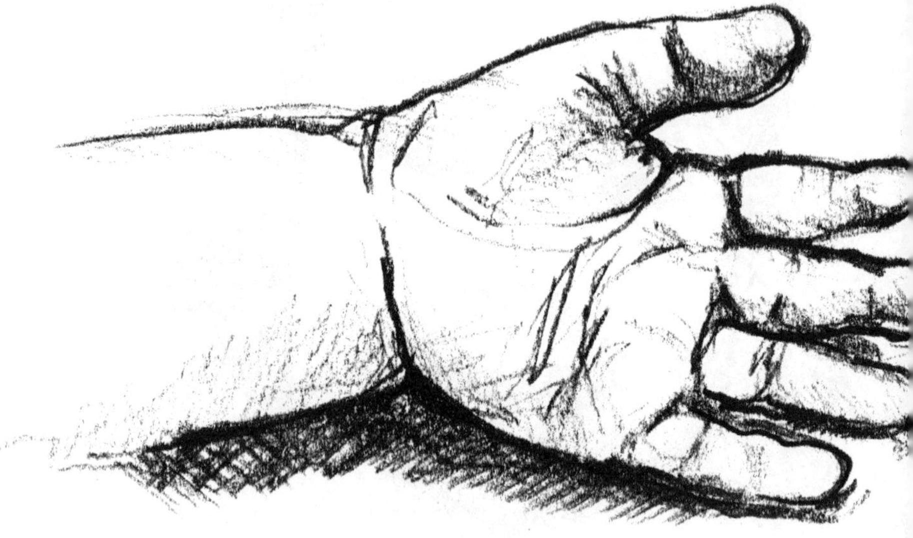

DAS MÃOS

O cara começa a ter mais controle das mãos, dos dedos,
do polegar opositor que faz dele um animal superior,
humano, apto a utilizar ferramentas. Tudo agora ele quer
pegar, tocar, manusear, sentir. A minha barba, o paninho,
uma folha de papel, a mamadeira, o rabo da Frida.
E depois que pega com a mão, obviamente quer
levar à boca. Passo natural no desenvolvimento.
Tudo bem quando é a chupeta, a mamadeira.
O problema é quando ele tenta fazer isso
com a coitada da gata.

DO QUERER

O cara anda cheio de quereres. Quer comer. Quer brincar com a mamadeira. Quer dormir. Quer ficar acordado. Quer diversão. E arte. Fazer muita arte. Quer virar de lado. E às vezes não consegue. Às vezes quer deixar a gente louco. Quer gritar. Até estourar nossos tímpanos. Às vezes ele não sabe o que quer. E a gente não sabe o que ele quer. Outras vezes quer só um carinho. Quer fazer manha. Quer colo. Quer tudo. Quer o mundo. Desconfio que ele às vezes quer ser o *Joãozinho Quero-Quero**.

---

*Joãozinho Quero-Quero, escrito pelo meu grande amigo Lúcio Goldfarb, é o primeiro livro infantil que eu ilustrei. E o lançamento dele aconteceu no dia que o João nasceu.

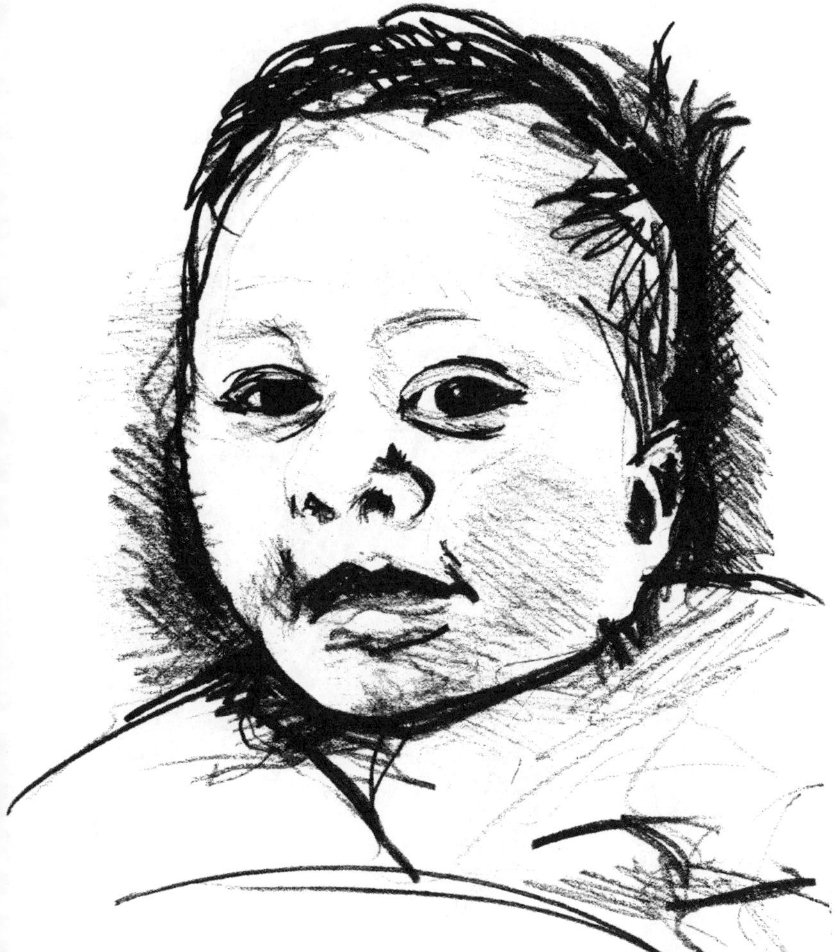

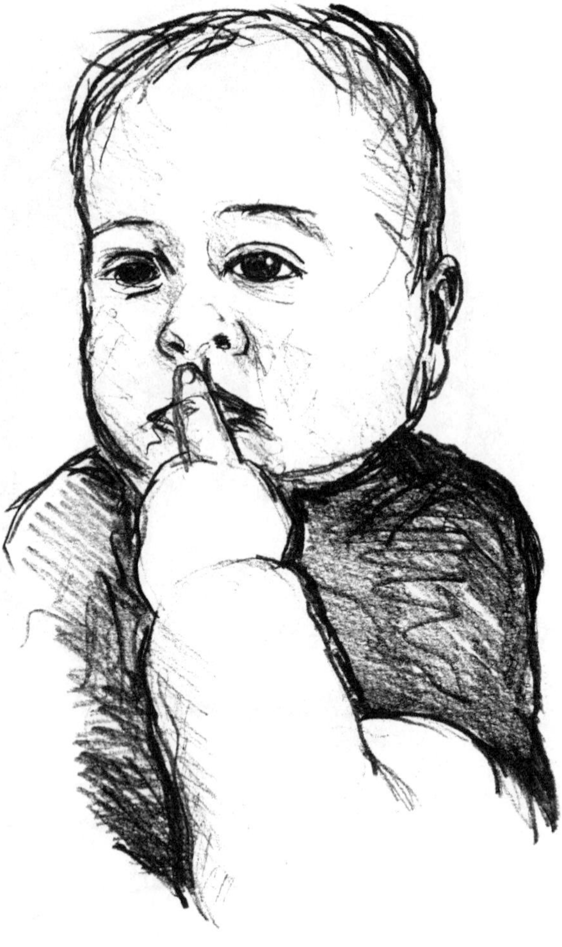

DO PALADAR

O cara começou a tomar suco de fruta além do leite.
Começa a experimentar sabores novos, descobrir novos
gostos. A clássica laranja lima passou no teste. Melancia
e mamão ele também adorou. E gostou também de água
de coco. Por enquanto, ele só não gostou de suco de maçã,
mas pensando bem, quem gosta?! Ainda é muito cedo,
faltam muitos sabores, o paladar dele ainda vai
se desenvolver. Ser educado. Se puxar ao pai,
vai ser um bom garfo, comer de tudo.
Apetite ele já herdou.

DO MOVIMENTO

O cara começou a rolar hoje. Antes uma tartaruguinha que só ficava de barriga pra cima, olhando para o teto, para diferentes e entediantes tetos, de uma hora para outra as perspectivas do mundo se abrem. Ele vira para a esquerda, vira para a direita, fica de barriga para baixo, se mexe pelo berço todo, no sofá, no chão. Falta pouco para ficar sentado e começar a engatinhar. Depois andar. O mundo é grande. Ele já começa a perceber.

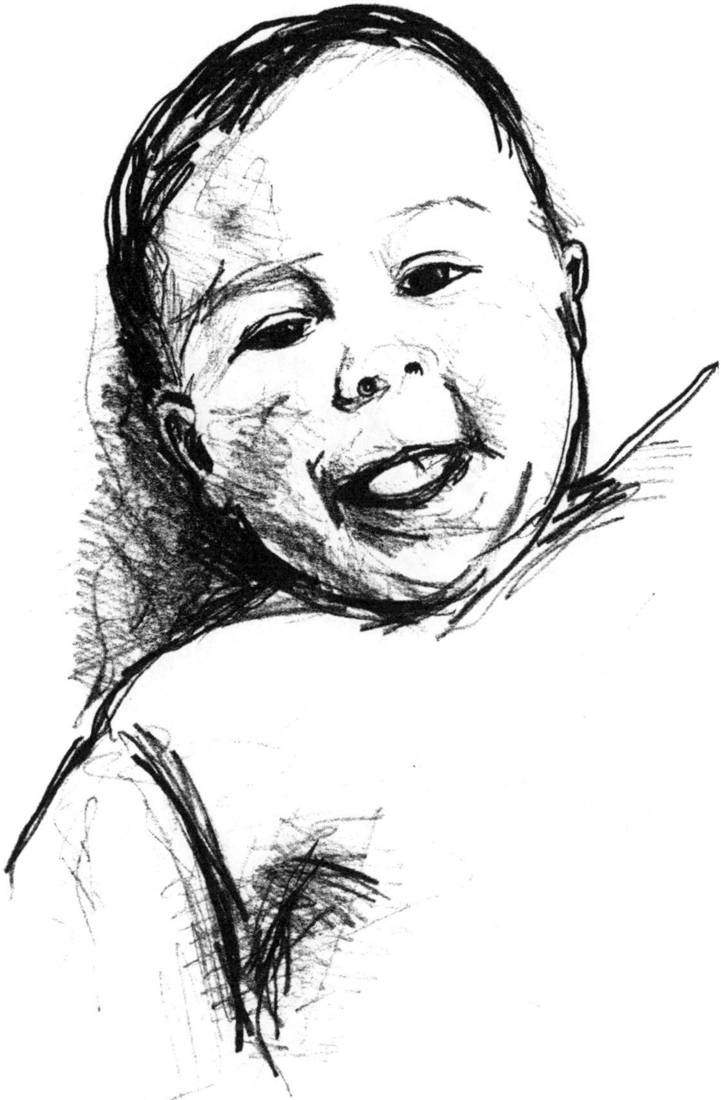

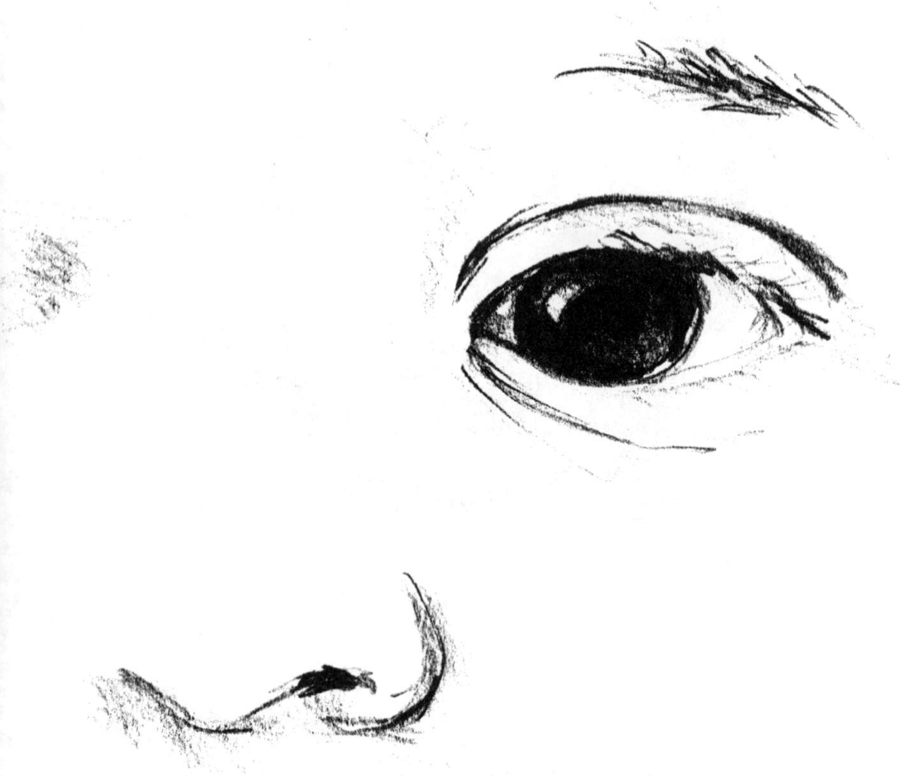

HIPNOTIZADO

João no meu colo de frente para a TV. Está passando
um show do Eric Clapton com o Steve Winwood.
Fica mais de cinco minutos vidrado no show,
nos solos de guitarra do Clapton, no vocal e nos teclados
do Steve. A música: *Voodoo Child*.

DA CRECHE

O cara começou na creche esta semana. Foi uma semana de adaptação. Muito mais para nós, pais, do que para ele, que, boa praça que é, adorou a novidade, os novos amiguinhos (suspeito até que já arrumou uma namoradinha mais velha uns três meses), os brinquedos novos, o novo berço. Para a gente é que dá uma dorzinha no coração, uma saudade que aperta o peito e que já prenuncia as futuras separações. A vida é assim, a gente sabe que por enquanto é só um quarteirão de distância, mas o mundo dele vai ser grande. João vai longe.

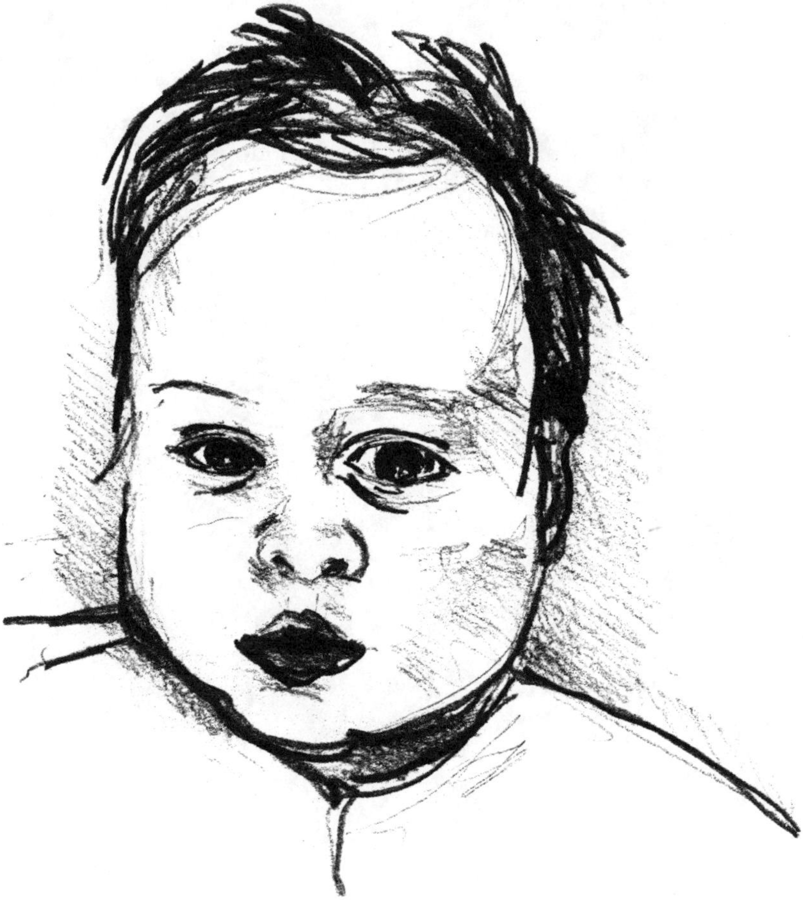

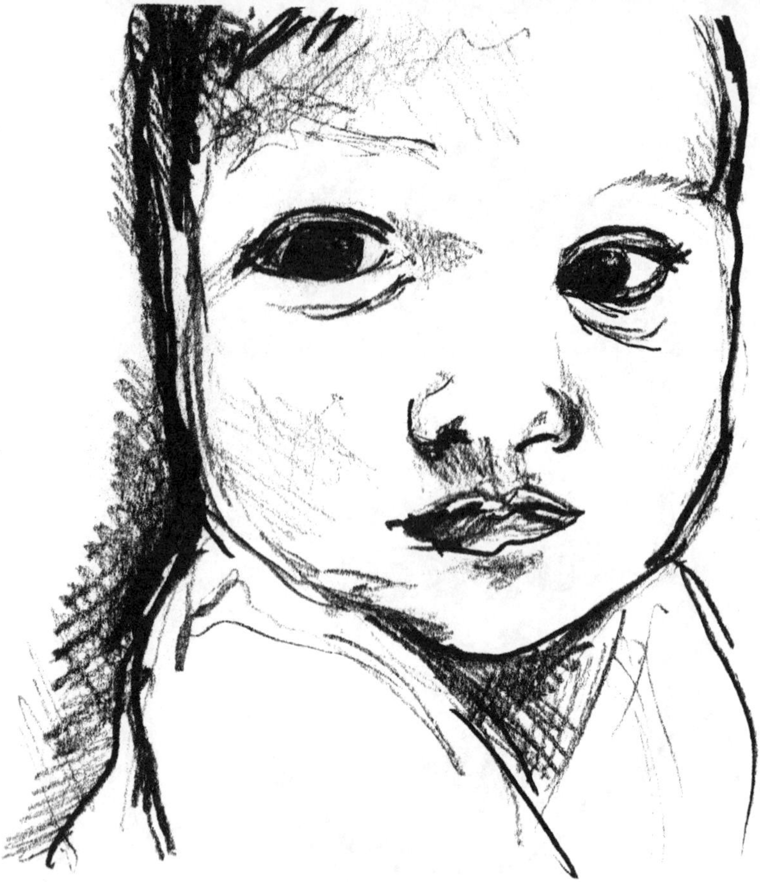

DO MILAGRE

Foram mais de dois milhões de espermatozóides, num dos ambientes mais hostis do mundo, o útero da sua mãe, que fez de tudo, com ácidos, hormônios e um exército de células de defesa, para impedi-los de chegar ao óvulo. De uma batalha sangrenta, poucos bravos chegaram perto, e um único, heroico, conseguiu romper todas as barreiras. E da união com o óvulo da sua mãe, união esta que ainda dependia de uma conjunção de fatores temporais e de uma boa noite regada a vinho, jazz e uma meia-luz, que você foi concebido, meu filho. E depois de 39 semanas se desenvolvendo na barriga dela, você nasceu, com mais de três quilos e 51 centímetros. Isso sim é um milagre.

DA MORSA

I'm the Walrus, dos Beatles, é a nova música preferida do João, depois de *Acabou Chorare*, dos Novos Baianos.

Goo goo goo joob goo goo goo joob.

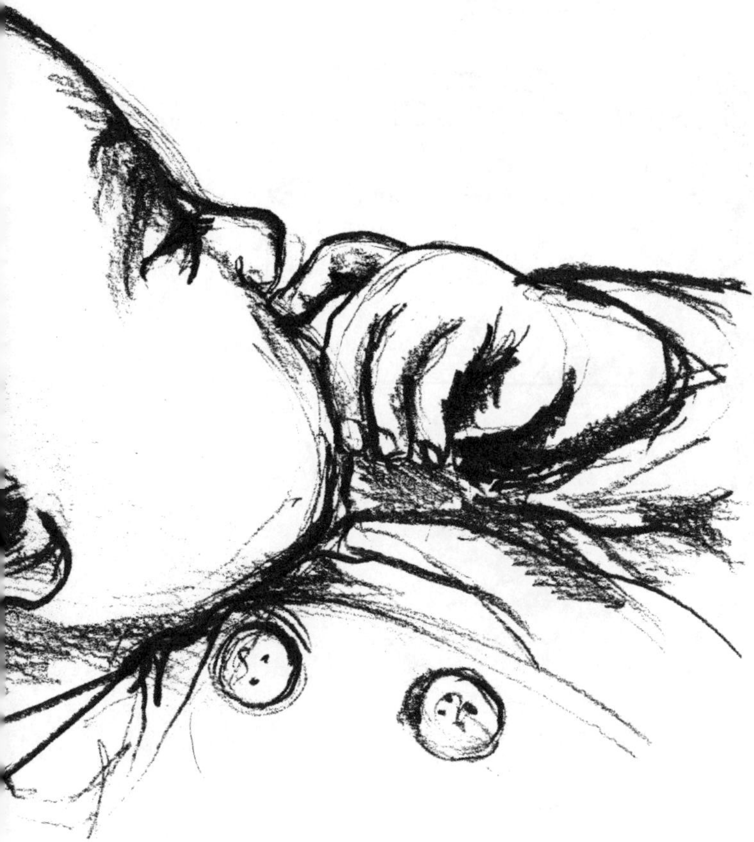

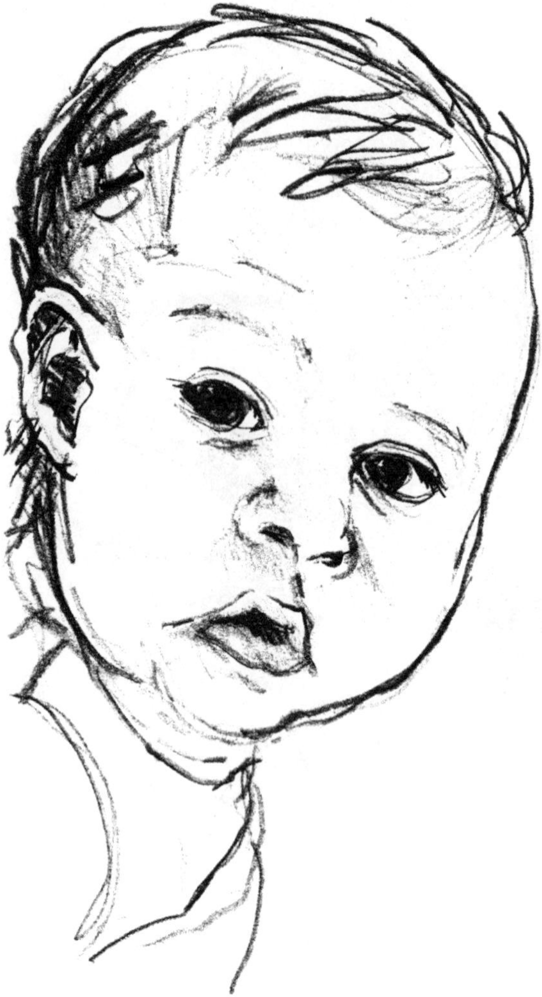

DO COCÔ

Nem tudo são flores na vida do cara. A parte da fralda,
o xixi e especialmente o cocô estão aí para testar nossas
habilidades de pais. No começo era fácil, só leite, o que saía
depois do processo de digestão do João era previsível.
Houve alguns percalços, mas a gente sempre tirou de letra.
Agora é que a vida está ficando mais selvagem.
Com frutas, verduras e legumes no cardápio dele,
todo dia é uma novidade. São novos cheiros, novas cores,
novas texturas, novos horários, acabou a rotina.
E todos já me preveniram, quando ele começar
a comer carne vai ser ainda pior. Estamos pensando
em nos tornar vegetarianos.

NOVA PLAYLIST DO JOÃO

Chega de Saudade, com o Tom; *Hino a Duran*, com o Chico, *Computadores fazem Arte*, com o outro Chico, o Science; *Boing Boom Tchak*, com o Kraftwerk (em homenagem ao tio Nicolau); *Perfect Kiss*, com o New Order tocando sapos; *Synchronicity II*, com o Police; Nina Simone cantando *I'm Feeling Good*; *Swing de Campo Grande*, com os Novos Baianos e daí a Renata chegou e acabou a saudade.

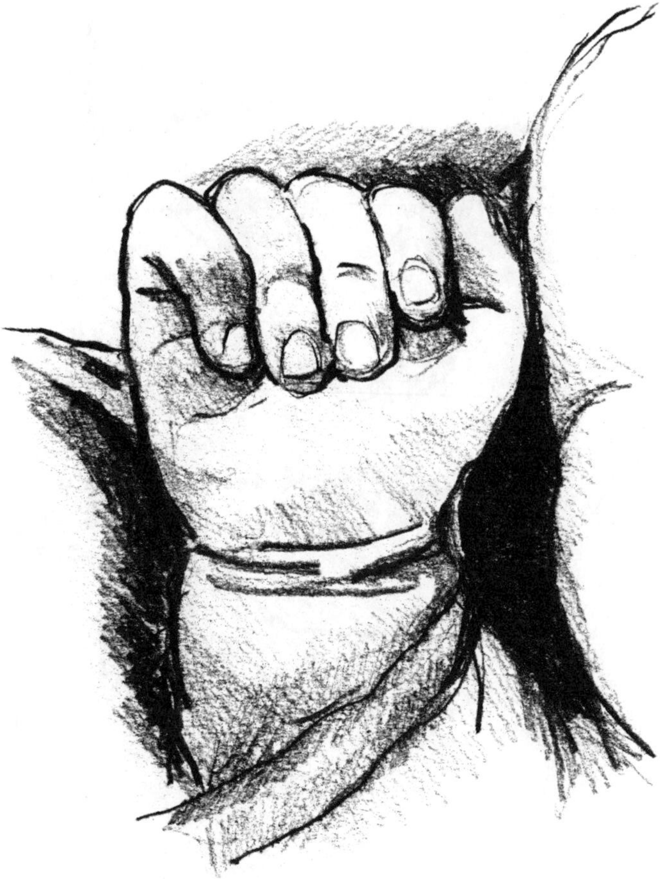

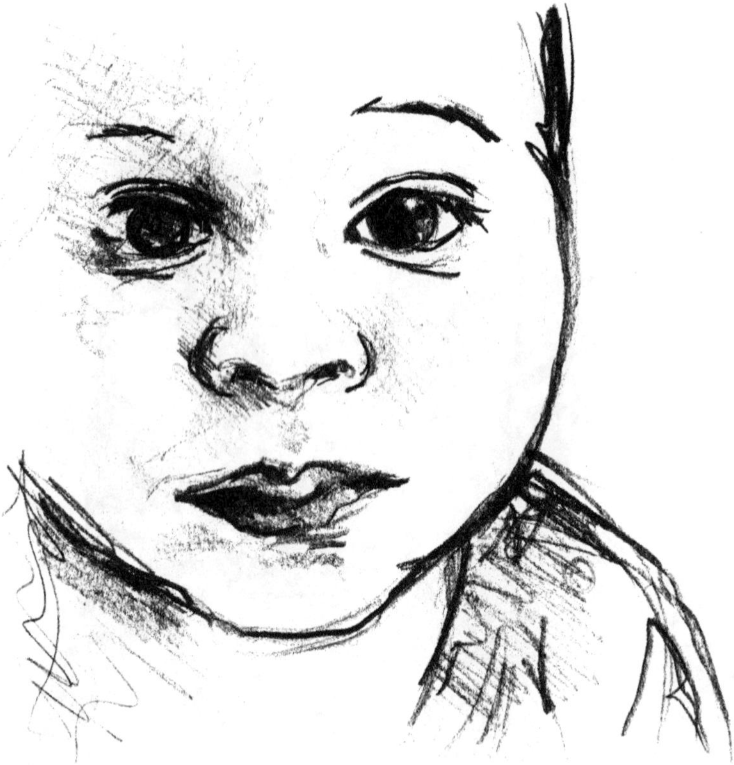

DO AMOR AO PRÓXIMO

Depois do brit milá judaico, João foi batizado na Bahia, na Capela de minha irmã (sim, ela tem uma capela consagrada). Para um pai ateu convicto como eu, é mais uma prova de tolerância. E foi muito bom. O dia foi lindo. Toda a família reunida. O padre, progressista, dava mais importância ao amor ao próximo do que à própria igreja. Gostei dele. Todos gostaram. Até porque, independente da fé de cada um, amar ao outro é só o que importa. Amamos nosso filho. E é isso que queremos pro cara.

DOS BEATLES

Dos quatro, o preferido do cara é o George.
Fiquei orgulhoso... só reforça o quão boa praça é o João.

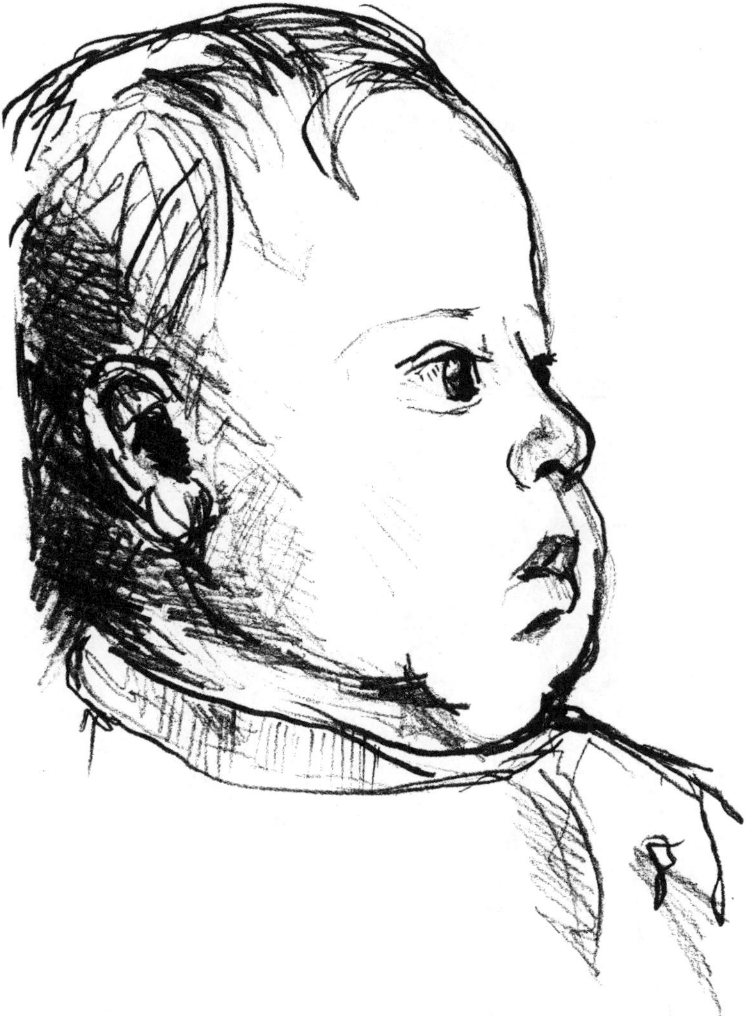

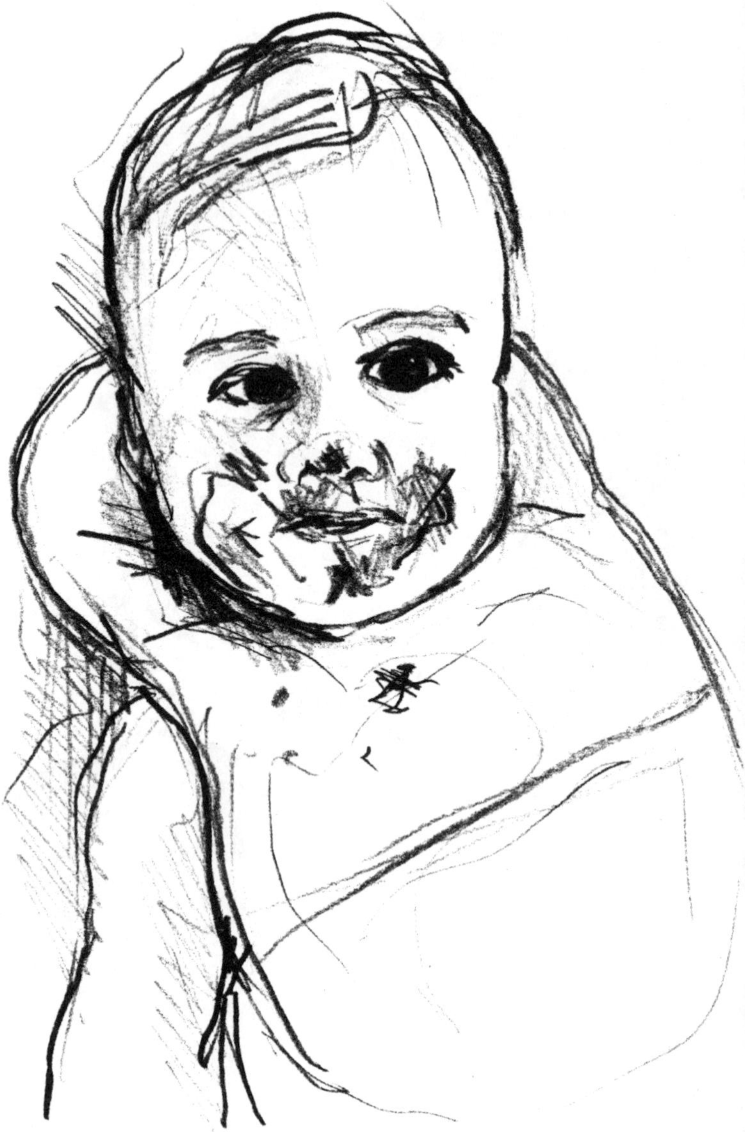

A VIDA AINDA É SÓ SOPA*

Músculo refogado no azeite com cebola picadinha. Acrescentar água para fazer um caldo e depois colocar um tubérculo – no caso, foi batata doce, um legume (cenoura) e uma verdura (couve). Cozinhar até tudo ficar molinho, depois passar na peneira ou no liquidificador. Se não fosse a falta de sal, até eu comeria... bom, na verdade, o que sobrou eu comi. Mas foi só um restinho, porque o cara comeu quase tudo. O cara é um bom garfo. Na verdade, por enquanto, ele é bom de colher. Mas ele chega lá.

---

* Em homenagem à Lizandra Magon de Almeida, que me ensinou que bem alimentado, a vida é sopa (*A Vida é Sopa* é o delicioso livro de receitas escrito por ela).

PLAYLIST DE JOÃO

João Valentão, com o Dorival Caymmi; *João e Maria*, com o Chico; *Only a Lad*, com a banda Oingo Boingo; *John, I'm Only Dancing*, com o Bowie; *Faroeste Caboclo*, com a Legião Urbana e *Johnny B. Goode*, com o Chuck Berry. João dá boa música!

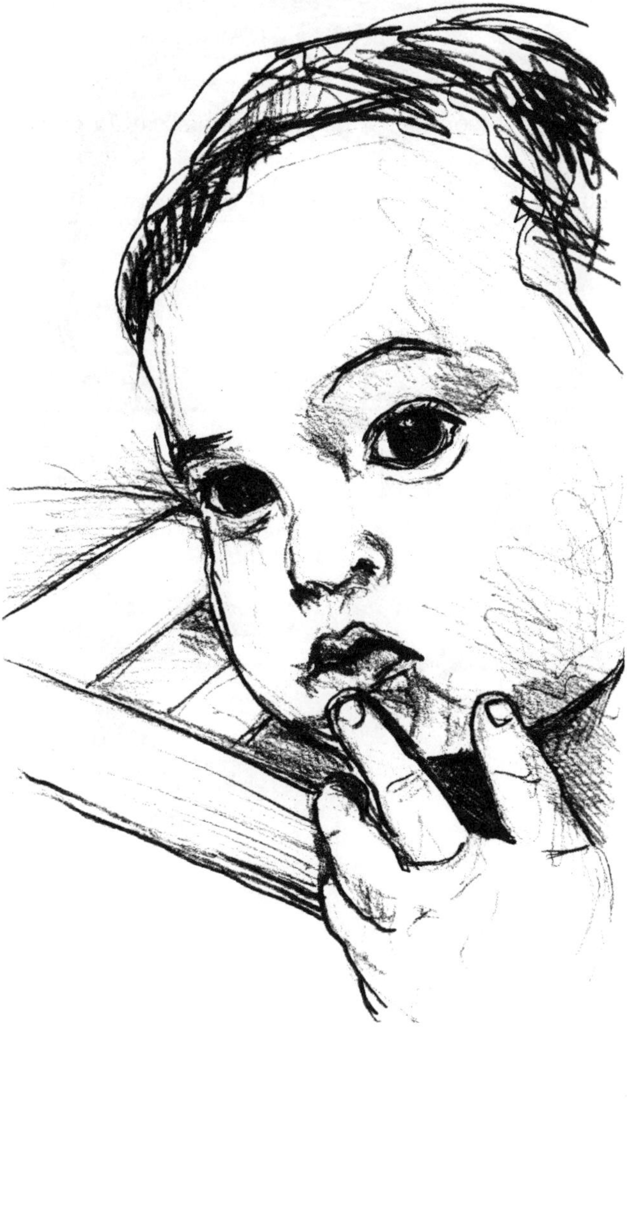

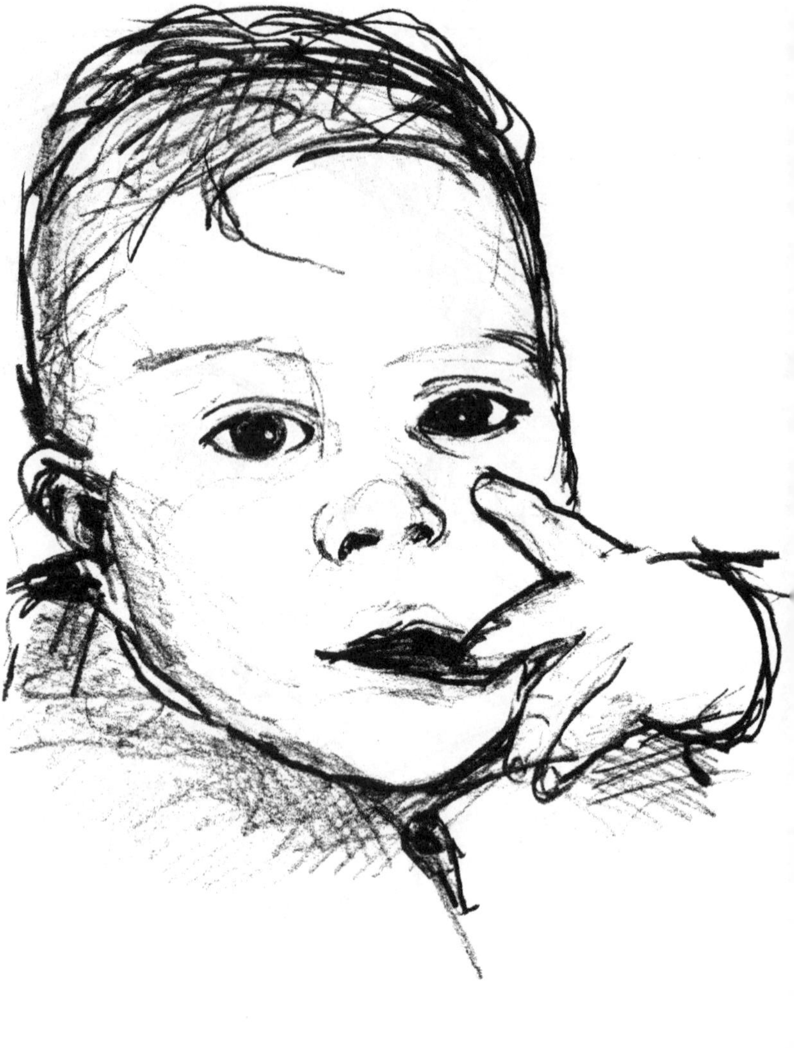

DA FEBRE

Era inevitável. Um dia o João ficaria doentinho.
A responsável da creche me ligou pouco antes de ir buscá-lo
para avisar que ele estava com febre. E, apesar da medicação,
a temperatura continuou alta no dia seguinte. Junto com
um nariz completamente entupido, fazendo ele respirar só
pela boca. Mais medicação, banhos, inalação,
colo, muitos cuidados e muitos cabelos brancos depois,
a febre baixa. E volta o apetite e o sorriso do cara.
O resfriado passou. Mas a experiência fica, e não é boa.
Sabemos que podemos enfrentar isso de novo, mas
ninguém prepara a gente para o sofrimento de um filho.

PÁSSAROS

A playlist de hoje só tinha passarinho: *Free as a Bird*, com os Beatles; *Ornithology*, com o Charlie Parker; *Sabiá*, com o Tom Jobim; *Assum Preto*, com a Vanessa da Mata; *Asa Branca*, com o Gil; *Beija-flor*, com a Marina; *Three Little Birds*, com o Bob Marley e *Passaredo*, com o Chico Buarque. João dormiu levinho, levinho.

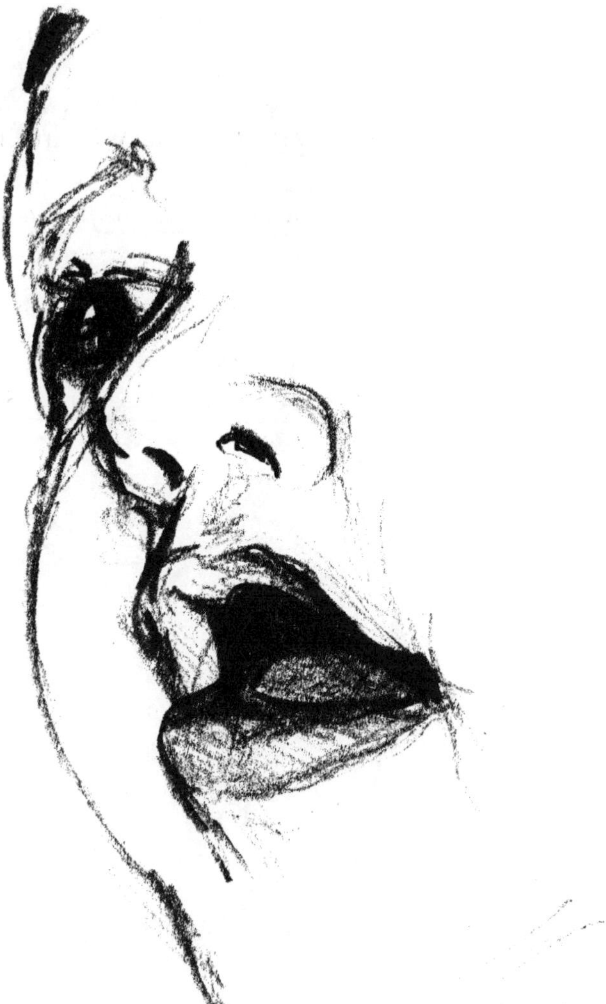

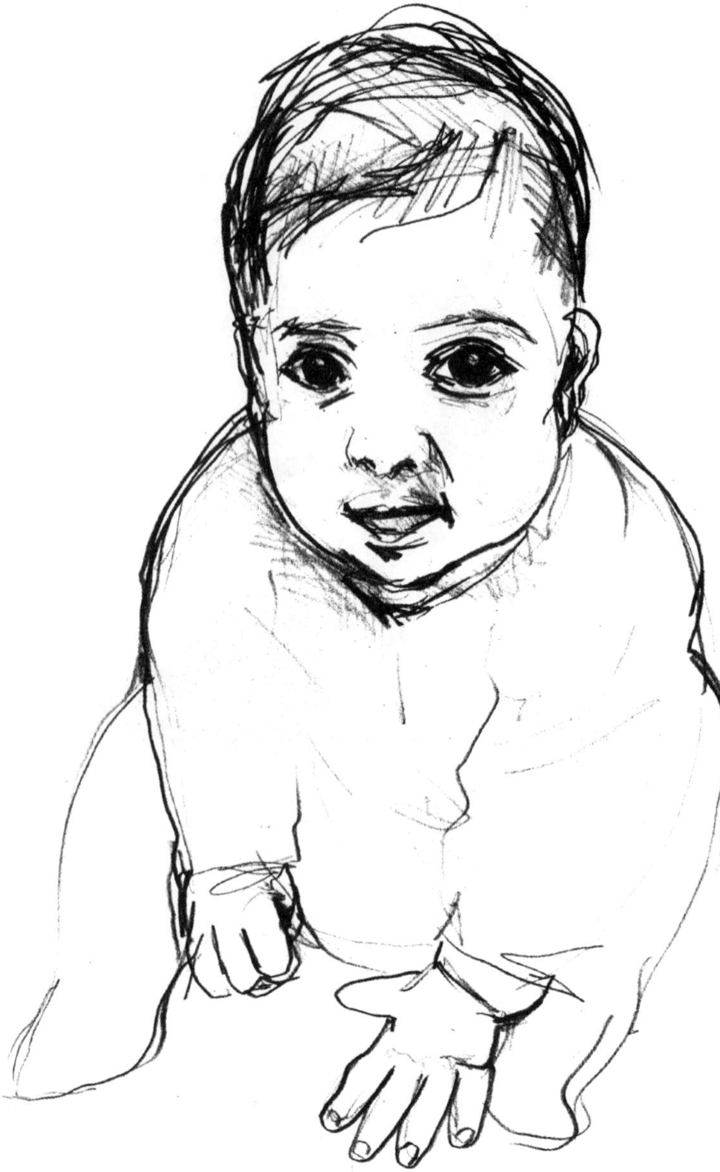

DO MUNDO DELE 2

O mundo dele ficou maior. Agora o cara fica sentado.
E pode olhar as coisas de frente, não mais só de baixo
para cima. O mundo ganhou profundidade.
E sua visão continua se desenvolvendo.
Ele enxerga melhor, com mais nitidez.
E vê mais longe. Eu fico impressionado
com essa evolução. Fico bobo, fico feliz.
E vejo um futuro enorme na sua frente.
De frente pra mim, ele me olha e sorri.

PEARL JAM

A playlist do João hoje só tinha Pearl Jam: *Just Breathe, Man of the Hour, Oceans, Daughter, Crazy Mary, Yellow Ledbetter* e terminou com uma versão deles para *Gimme Some Truth*, do John Lennon. A mãe não gosta muito, mas o cara adorou.
Em homenagem à Roberta, coloquei também *Black* na lista... ele curtiu a música preferida da tia.

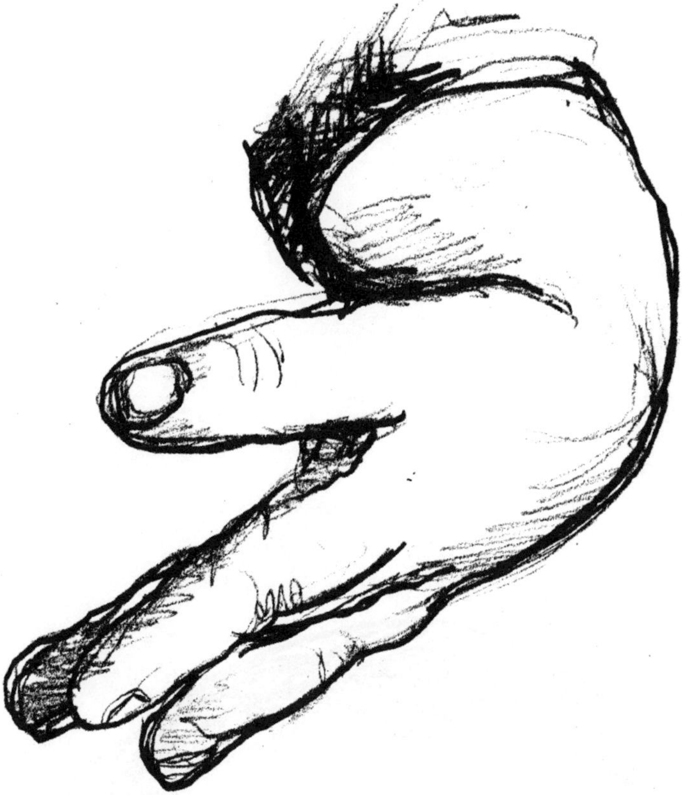

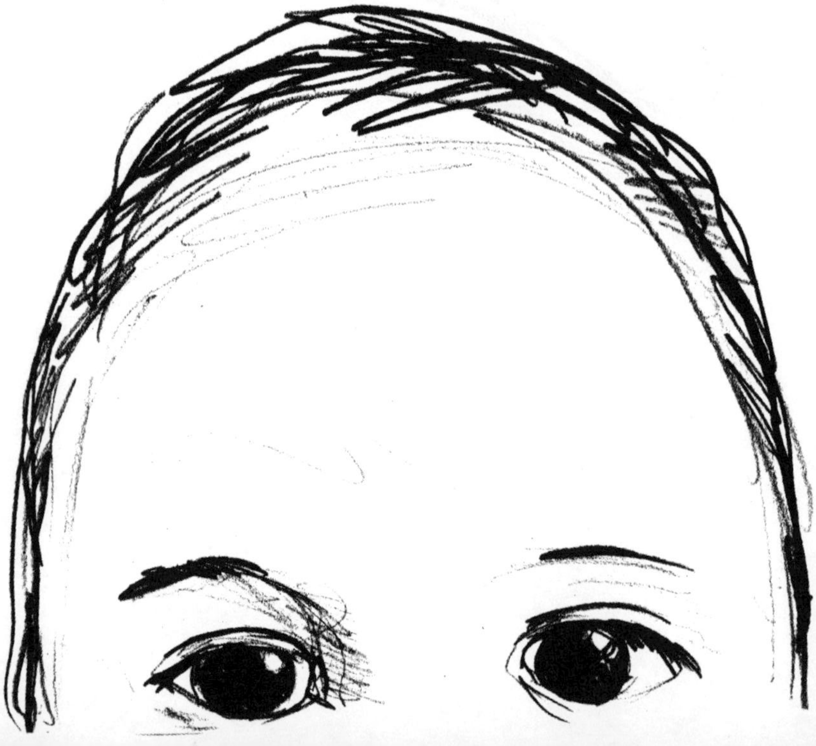

DA CIDADE

São Paulo oferece muita coisa para nosso filho.
Temos um parque perto de casa. A creche também
fica a poucos quarteirões. João já foi, no seu carrinho,
em exposições de arte, mostras de design, arquitetura,
livrarias, e qualquer coisa que precisamos comprar para ele
encontramos sem dificuldade. Mas é uma das cidades mais
caras do mundo. E o mais caro é o custo para a saúde dele.
Com o tempo seco e a poluição, São Paulo faz mal
para o nariz e agora para o pulmão do cara. Deu para tossir,
o coitado. Ontem tivemos que levá-lo ao pronto-socorro.
Sim, a cidade dispõe de ótimos hospitais infantis.
Não era nada grave, ele já está melhor,
era só o efeito do lado negativo da metrópole.
Mas que nos faz pensar se morar aqui vale a pena.

DAS DOBRINHAS

O cara tem dobrinhas. Muitas. Gordinho, come bem, já são quase oito quilos. E como ainda não fica de pé, não espichou muito. Dobras na coxa, nos bracinhos, no pulso. Fofinho, gostoso. Mas às vezes as dobrinhas escondem assaduras. João é muito calorento, sua muito e temos que encher as dobras de talco, para prevenir, para remediar. Dá trabalho, mas quem resiste às dobrinhas de bebê?!

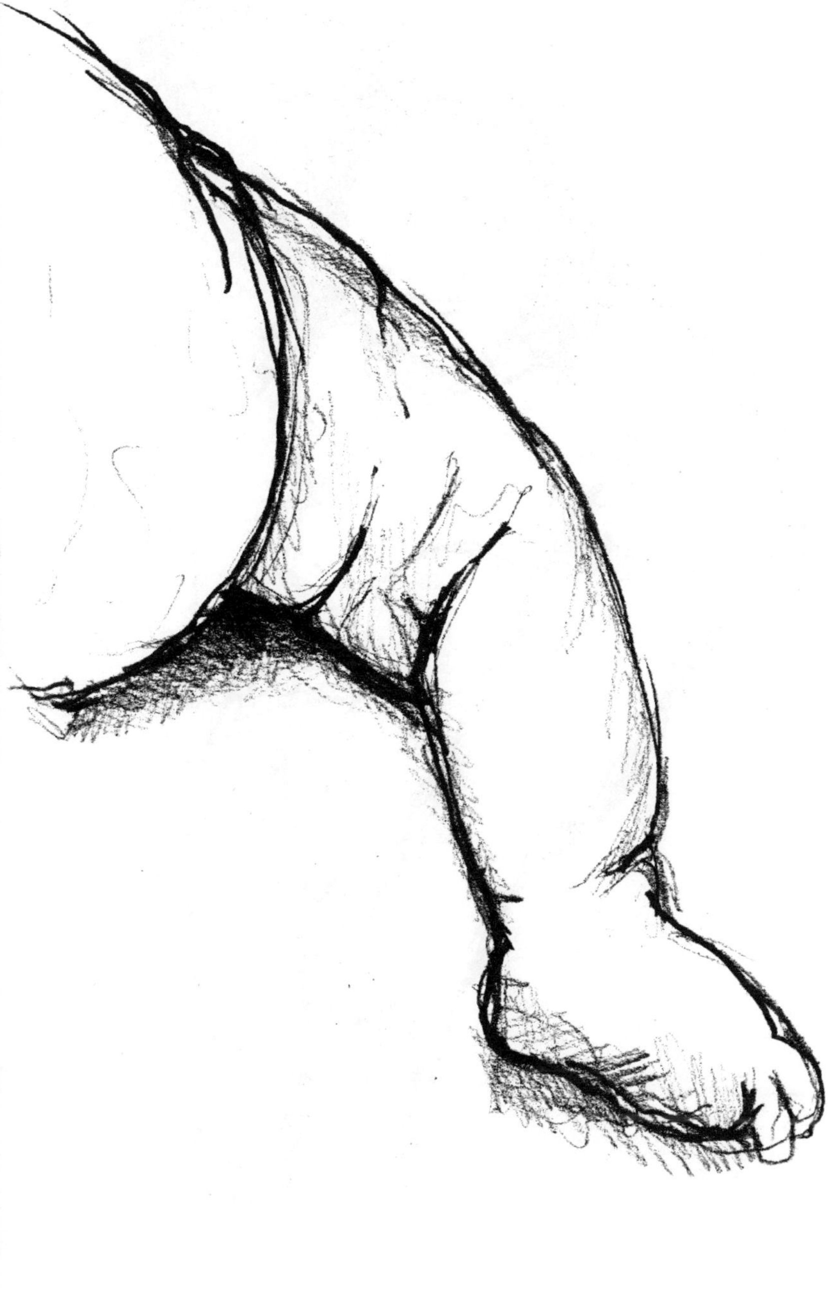

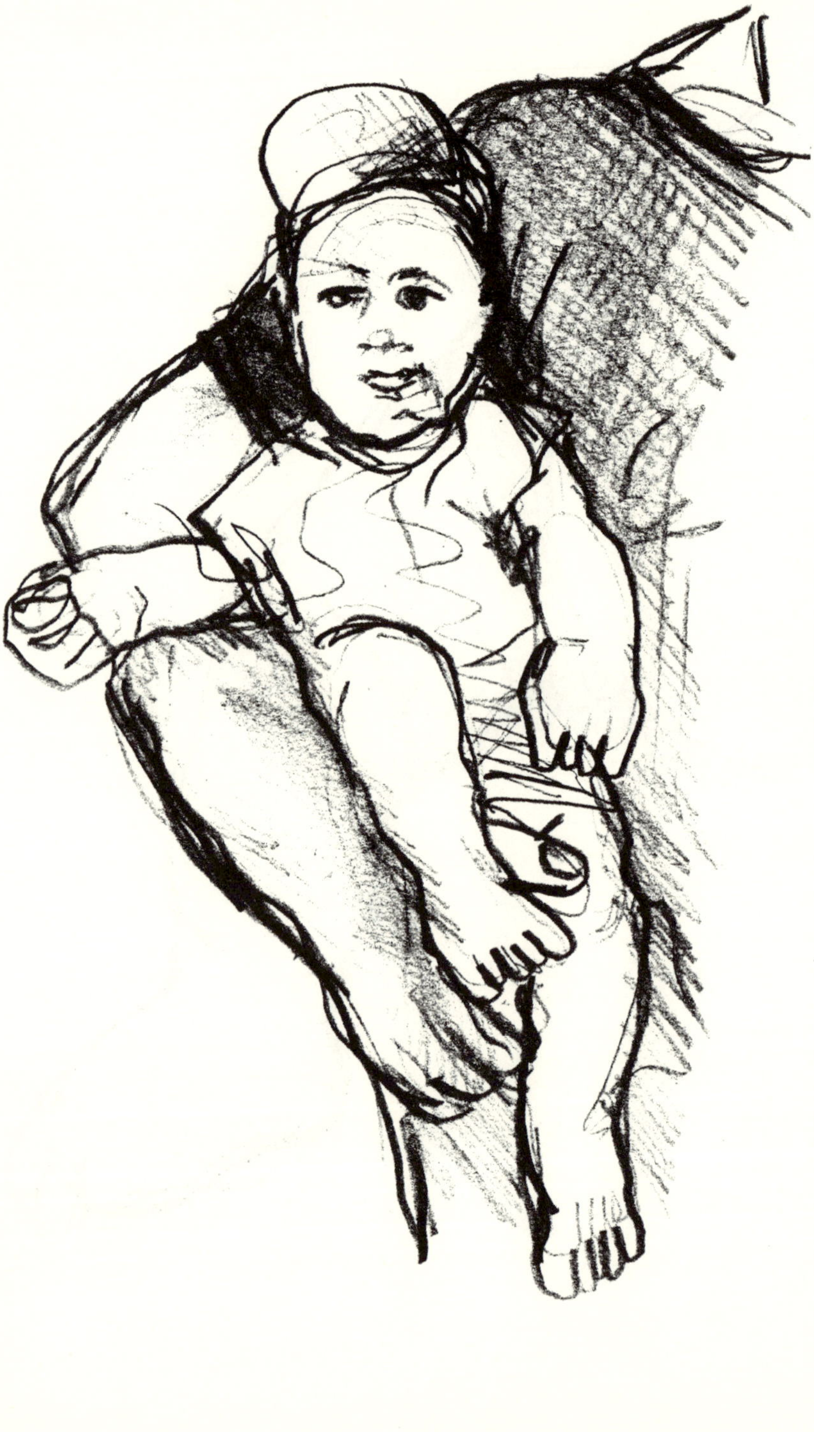

DO MODO DE CARREGAR O FILHO

Vou buscar o João todos os dias na creche. Vou a pé,
é pertinho, nem três quarteirões. Volto com ele no colo.
Sou alto, tenho braços grandes. Então carrego ele
com um braço só, apoiando o cara no meu cotovelo.
Ele vai olhando pra frente. É como ele gosta de ir.
Algumas pessoas na rua param para olhar, acham engraçado.
E acho que é mesmo. Ontem à noite vi um pedaço do
desenho *Monstros S.A.*, na TV. Sullivan, o monstrão peludo,
azul turquesa e lilás, carrega a menina Boo do mesmo jeito.
Não tive como não rir.

DO CIÚMES

Fidel, nosso gato, tem ciúmes do João. Quando dou
muita atenção para o cara, o bichano vai lá no meu armário
e derruba todas as minhas camisetas. E ainda sai andando
pela casa com uma delas na boca. Renata tem ciúmes
do João. Eu também tenho ciúmes dele.
Afinal todo mundo se apaixona por ele,
o cara nasceu um sedutor. Mas entendo que é normal...
temos ciúmes daquilo que amamos. E me controlo.
Já sei que o cara vai ser do mundo.
Só falta convencer a Renata. E o Fidel.

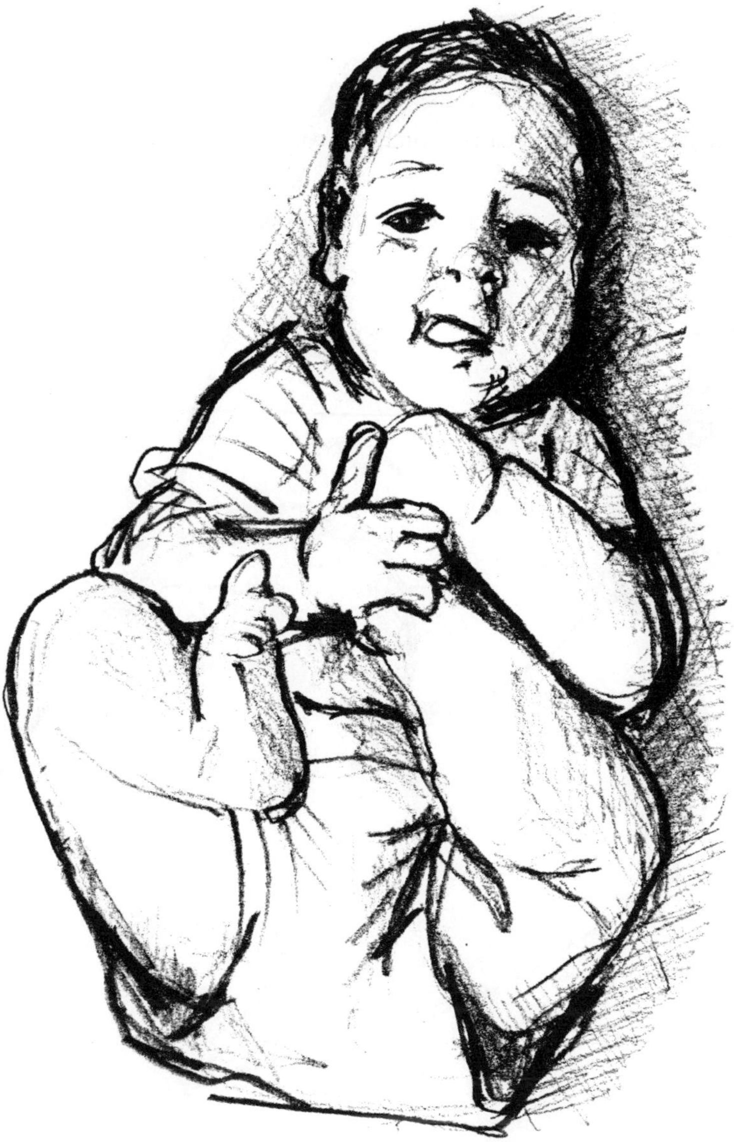

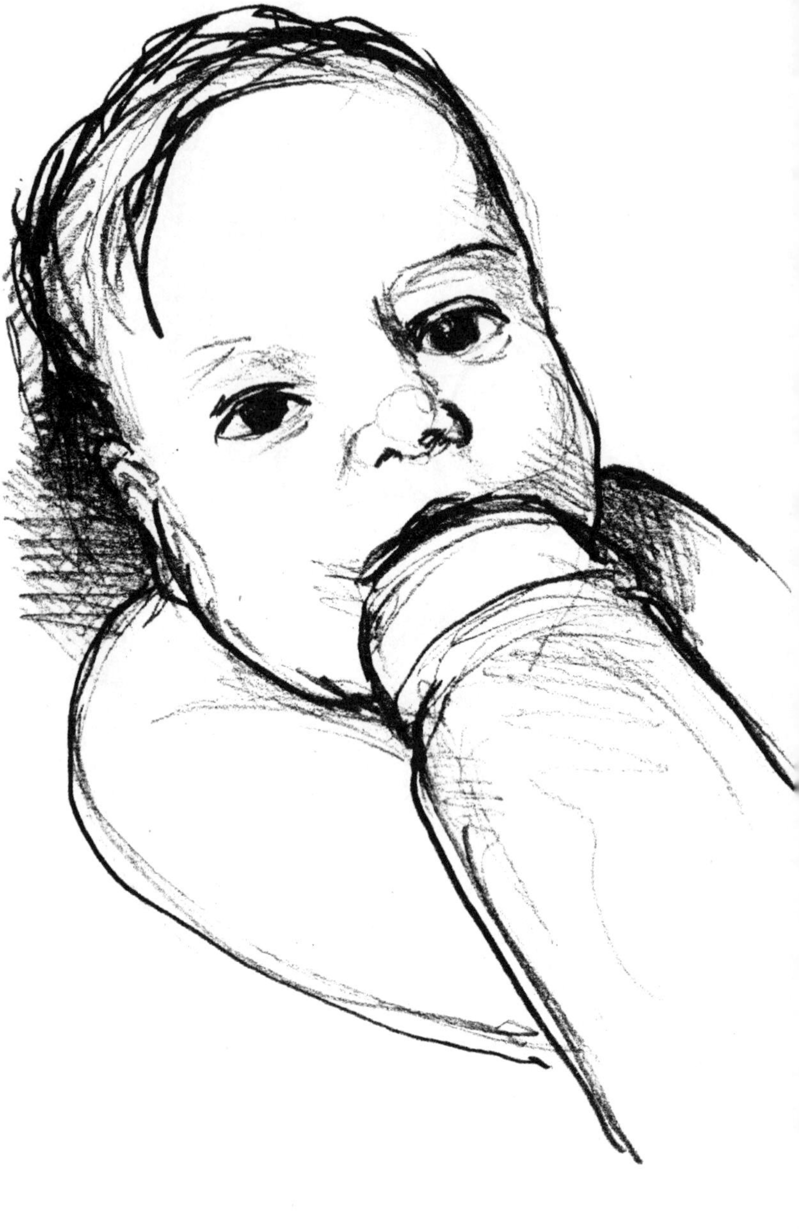

DO GOLFO

Bebês às vezes golfam leite depois de mamar. Não é sempre.
Às vezes mamam muito rápido, às vezes mamam demais.
Às vezes não tem causa nenhuma, a não ser o fato de que quem estava dando mamadeira para o cara naquele dia tinha acabado de vestir uma camisa nova.
Aí é batata, aliás, leite.

PLAYLIST DE HOJE: NOMES ESTRANHOS

Hoje o cara ouviu 10.000 Maniacs, Squirrel Nut Zippers, Violent Femmes, Soft Cell, Outkast, Garbage, Radiohead, Portishead e Talking Heads. João gostou: esse povo faz música boa, mas inventa nomes muito "cabeça" para as bandas...

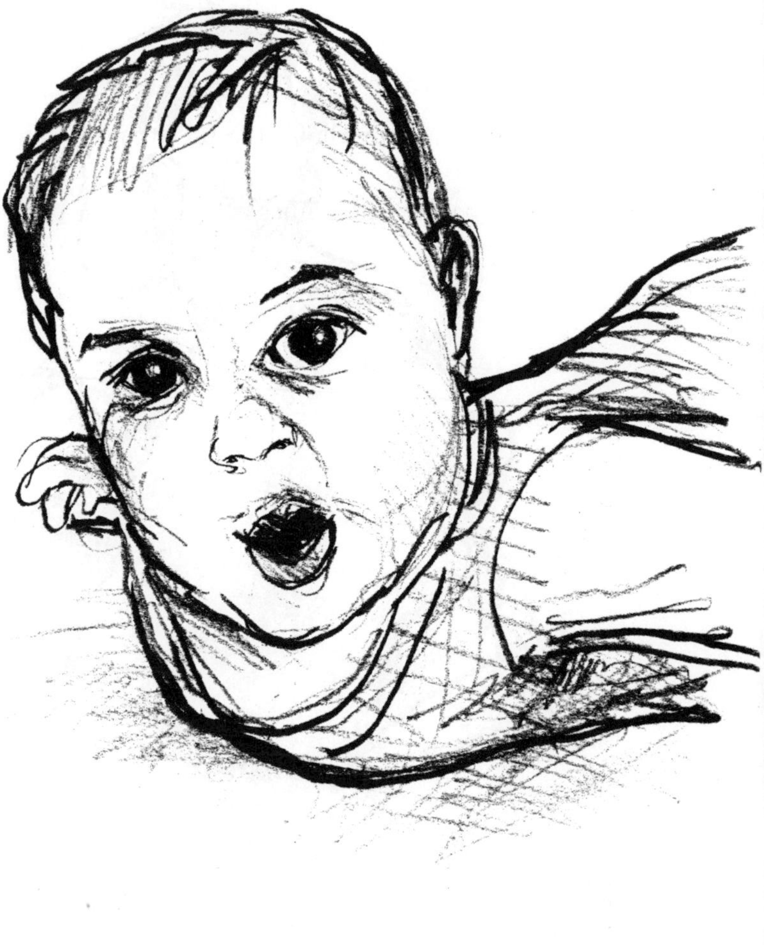

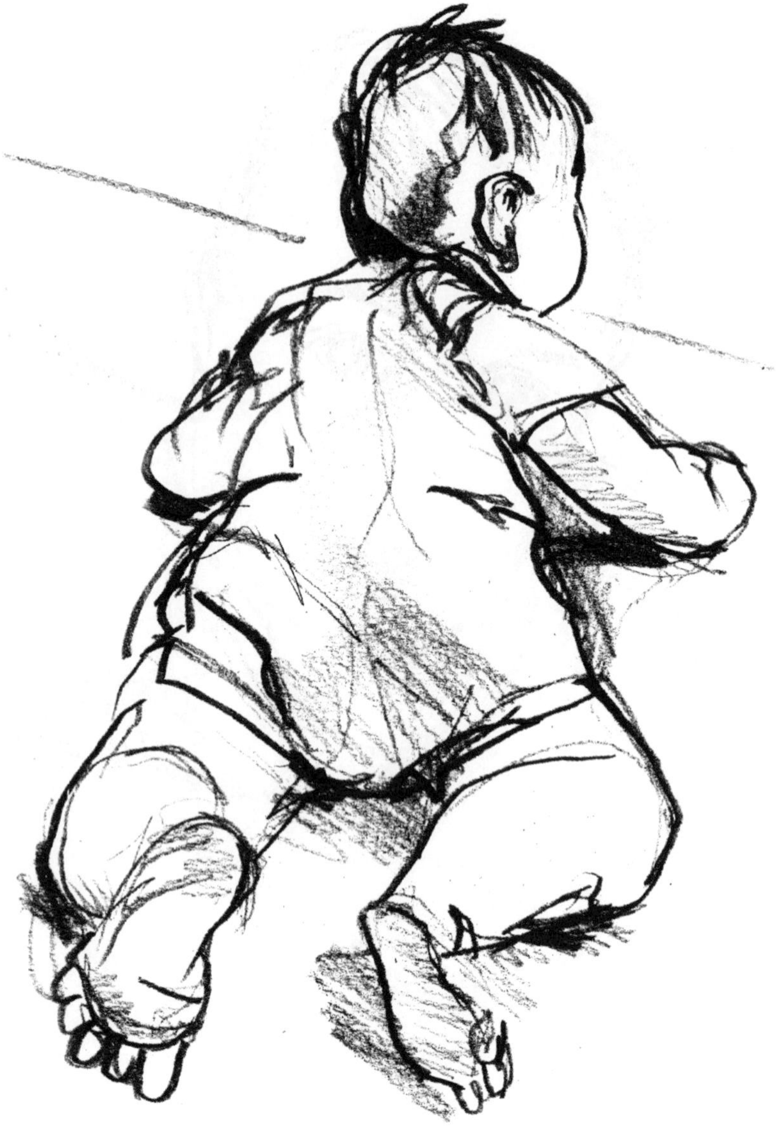

DOS SEIS MESES

João completou seis meses. Uma fase nova na sua vida.
Uma nova fase na nossa vida. Agora ele não é mais
um recém-nascido. Tudo bem, ainda é um bebezão
que não engatinha, mas não quer mais ficar deitado.
Fica sentado como um pequeno Buda, e quer interagir
com tudo. Na verdade, colocar tudo na boca.
A coitada da Frida reza para Freud para passar logo
essa fase oral do cara. Mal sabe ela que vai ficar pior.
Pior nada, vai ficar cada vez melhor dia a dia.
Virão novas fases. Virão novas páginas.
O caderno não acaba aqui.

DO CADERNO

Renata Wagner, minha mulher e mãe do cara, foi fundamental para esse caderno/livro: em primeira mão, leu todos os textos, além de ver e avaliar os desenhos. Sem ela, nem o livro nem o João existiriam.

Mas este caderno/livro não existiria se não fosse minha irmã, Claudia Giudice, que numa troca de mensagens por celular me perguntou: por que você não escreve sobre o João?

Preciso agradecer à minha editora, Lizandra Magon de Almeida, que acreditou nesse projeto, e a todos que de alguma forma ajudaram ele a tomar forma.

Uma dessas pessoas não podia ficar sem seu nome citado: Denise Camargo, amiga amada que leu os textos e palpitou carinhosa e cuidadosamente sobre eles.

Preciso também agradecer ao meu pai que me ensinou a desenhar (se não aprendi direito, a culpa é minha) e à minha mãe que, desde cedo, me encheu de papéis e lápis de cor (João, me aguarde).

Por fim, agradeço ao João, por cada dia.

DO CADERNO 2

Este livro foi escrito durante o segundo semestre de 2014, inicialmente no bloco de notas do meu telefone celular. Os desenhos, a lápis, foram feitos num caderno Moleskine. Na diagramação foi utilizada a fonte Adobe Garamond Pro. Foi impresso em papel Pólen.

Pedro Menezes está envolvido com criação desde 1992. Hoje, além de pai de primeira viagem, é artista plástico, ilustrador e designer gráfico. Adora Matisse e desenhar ouvindo Miles Davis. Este é seu segundo livro.